申請者必須年滿十八歲，樂於與人分享自身的故事和感悟，擁有獨特經歷者更佳。

人形圖書

勞國安 著

目錄

圖書館現正招募「真人圖書」，歡迎市民加入「真人圖書」的行列。」

申請者必須年滿十八歲，樂於與人分享自身的故事和感悟，擁有獨特經歷者更佳。——

老字號

附近開了幾間自助洗衣店，茵茵洗衣店的生意明顯少了，但仍有不少街坊願意繼續光顧這老店。

過去三十年，四周的店舖不斷改頭換面，茵茵洗衣店仍然屹立不搖，守在同一位置，一邊見證社區變遷，一邊為居民提供洗衣服務。

老闆東叔兩年前已經退休，很少在店舖出現，現在洗衣店由他的妻子和女兒經營。東叔弄瓦後不久開了這間洗衣店，洗衣店就以女兒的名字命名。

茵茵洗衣店的面積比其他店舖大，裡面放置了多台洗衣機和乾衣機，天花板垂下一些支架，用來吊掛已經清洗的衣服。洗衣機旁放滿各類清潔劑和洗衣粉，衣籃裡的衣物、床單、毛巾和窗簾堆積如山。磅洗的衣物根據重量而收費，所以門前放了一個磅。櫃枱位於大門左側，櫃枱上放了日曆、計算機和電話，桌面鋪了玻璃，壓着幾張家庭照和一張價目表，價目表清楚列明洗滌各類衣物的收費。大門右邊擺了一張桌子，供員工整理和摺疊衣物。一排格子櫃向後延伸，櫃裡堆滿從洗衣廠運送回來的一包包的衣服（需要乾洗的衣服都會送到洗衣廠處理），木櫃上貼了寫着「金玉滿堂」和「生意興隆」的春聯，櫃頂放了一台電視、幾個摞起的橘子和一座觀音像。店的盡頭是廁所，廁所的木門老舊，開關時吱吱作響……

茵茵洗衣店逢星期二休息，其餘時間都會營業（包括公眾假期），無論晴天雨天，洗衣店的捲閘都會準時在八時半拉起。

街坊以「老闆娘」稱呼東叔的妻子。老闆娘

的年齡與東叔相若，東叔已滿頭白髮，拄着拐杖走路，但她的頭髮仍然烏溜溜，而且手腳靈捷，全無老態。老闆娘一直協助東叔打理洗衣店，對洗衣店的運作瞭若指掌，三十年來從事同一行業，她累積了不少經驗和知識，已是一名洗衣專家。

客人來到洗衣店，她趿着拖鞋，啪嗒啪嗒出來迎接。洗衣的話，衣物過磅後，她便戴上老花眼鏡為客人寫單。取衣的話，她便根據單據上的號碼，在密密匝匝的衣叢中，找出指定的那袋衣物。

洗衣店每天都會接收到各類衣服，老闆娘只要看一看，摸一摸，便能辨認出是哪種衣料，知道怎樣洗和熨，保證衣服不會縮水和造成損毀（住在附近的 OL 很信任老闆娘，昂貴的名牌服飾一定交給她處理）。沾了醬汁的桌布、被蠟筆塗污的毛公仔、佈滿咖啡漬的圍巾或領帶，無論多麼頑固的污漬，她都有辦法清除（她備有十數支清潔液，有些是她混製出來的獨門配方！）。東叔一家做生意一向公正老實，所以老闆娘會先徵求客人同意，才在洗衣時加入衣物柔順劑和滴露，不會事後才硬要客人支付額外費用。她亦不會為了賺錢而要客人白白浪費金錢，不常穿的皮衣她建議幾年才乾洗一次，仿皮夾克容易龜裂她也不建議多洗……

老闆娘與這裡的街坊相識幾十年，如同老朋友，街坊經過洗衣店時都會停下來與她聊天，有時談談政局和天氣，有時緬懷舊事，有時訴說一下兒孫的近況。有些顧客的下一代也會前來光顧，搬走了的街坊亦會特意乘車回來，託她清潔衣物。

每天送兒子上學後，茵茵便會去洗衣店上班。

茵茵原本在珠寶店當出納員，懷孕時她決定辭職，專心照顧小孩。她計劃兒子上幼稚園後再找工作。後來爸爸因為關節炎不便走動而提早退休，她便索性不找工作，代替爸爸，協助媽媽經營店舖。

茵茵的家位於洗衣店附近，兒子就讀的幼稚園也在這一區，所以上班和上學都很方便。

茵茵的童年大部分時間都在洗衣店度過，父母一邊工作一邊照料她，她每天都在店裡做功課和玩耍。小時候的她五官精緻，一雙明亮的大眼睛，秀挺的鼻子，一口貝齒，黑油油的長髮，活像櫥窗裡的洋娃娃。因為長得漂亮，顧客很寵愛她，為了逗樂她，他們不時送她糖果和玩具。長大後她的美有增無減，高中時，只要她在店舖出現，對面一所中學的男生便會蜂擁而至，刻意路過洗衣店，期望一睹她的芳容。雖然現在已經結婚和生了小孩，但茵茵仍然如往昔般眩麗，所以不時惹來男顧客的搭訕。每次遇到這種情況，在旁的老闆娘便會替她解圍，有意無意用食指敲敲桌面的玻璃，叫這些男人看看玻璃下的家庭照。當他們看到茵茵的結婚照和與兒子的合照時（同時瞧見老闆娘凌厲的眼神），多數人都會識趣離開。

工作方面，由於茵茵經驗尚淺，很多事情仍未敢單獨做決定，仍要經過媽媽肯定，才能把想法付諸實行。

茵茵至今最大的貢獻是為洗衣店建立了臉書專頁作宣傳，向外界介紹洗衣店的各種服務。在網上宣傳後，來了一些年輕的生客，由於服務良好，光顧後他們紛紛在臉書上留下正面評價，口碑傳開去，成功招徠很多生意。

放學後，茵茵把兒子從幼稚園帶到店鋪。如同自己的童年，她的兒子每天都在洗衣店學習和玩耍。但她的兒子並不像小時候的她般乖巧和服從，他非常頑皮和好動，十足一名野孩子。

他永遠無法專心做功課。做了半頁填充題後，他便雲遊四海在店裡四處遊蕩。做了幾條數學題後，他又會突然離座站在店前，昂首觀看鳥兒在屋簷下搭窩。抄寫生字時，聽到有人吵架，他便立即放下工作紙和筆，跑到街上看熱鬧。

就算被媽媽牢牢地監視而動彈不得，他也會一邊做功課一邊向顧客扮鬼臉，企圖吸引人的注意。面對這名過度活躍的孩子，茵茵每天都要費盡心力，才能令他完成手上的作業。

做完功課後他便拋下書本，盡情玩樂。有時候他扮演將領，率領一隊塑膠士兵，在櫃枱上行兵列陣。有時候他脫去鞋子，赤足與雜貨店老闆飼養的小狗追奪一個癟塌的皮球。有時候他走到隔壁的回收店，拿着棍棒，當啷當啷敲打一堆堆破銅爛鐵。有時候送石油氣的大叔踏着單車經過，他便馬上登上腳踏車，與他來一場速度的比試……

野孩子經常闖禍。某次他把一個鐵甲人放進洗衣機，差點弄壞這台機器。另一次，他爬上停泊在藥材舖前的私家車的車頂，打翻了一盤正在接受日曬的果皮。類似事件經常發生，每次闖禍後，他的屁股必定被媽媽打得皮開肉綻。但無論被懲罰過多少次，他都未能汲取教訓，由於野性難馴，安靜一陣子後他又會四圍撒野。

開業後梁伯一直替東叔做事，已經在茵茵洗衣店工作了三十年。他負責運輸和雜務，每天用手推車把已洗淨的毛巾送去髮廊、足浴店和美容院、或把制服和床單送去護老院，閒時便打掃和清潔。

年輕時梁伯很精明，記性好，做事很麻利。現在年紀大了，有點糊裡糊塗，做事慢吞吞，而且善忘，不時把貨物送到錯誤地點。舊日他在街上跑來跑去都不疲累，現在送貨回來後便咻咻的喘氣。完成工作後他習慣坐在一旁閱讀武俠小說，但近年視力衰退，讀書很費力和費神，已經不再閱讀，只能聽粵曲打發時間。

梁伯其實已屆退休年齡，但他希望多幹幾年，多攢點錢養老。雖然他的工作表現未如昔日般理想，但念在他多年的貢獻和幾十年主僱的情義，東叔和老闆娘都沒有婉拒他的要求，決定繼續聘用他。

除了梁伯，店裡還有兩位員工，以兼職和全職形式聘請。她們多數是住在這一帶的家庭主婦，為了幫補家計，孩子上學後便來協助洗衣和疊理衣物。由於薪金不高，所以留不住人。缺乏人手時，老闆娘會在門前張貼招聘啟事，如果一直沒有人應徵，她惟有鋌而走險，叫家裡的外傭來店舖做幾天替工！

不知不覺又過了一天，天已暝，區內的店舖陸續關門。茵茵洗衣店的捲閘被拉下，老闆娘、茵茵和她的兒子準備回家吃晚飯。今天野孩子不知又製造了甚麼麻煩，被媽媽罵得垂頭耷耳。離開時他們與其他店舖的人道晚安，紙紮店老闆看見野孩子的愁容，知他又被媽媽訓斥，於是刻意說些幸災樂禍的話刺激他。野孩子氣得眼睛冒火，咬牙切齒向老闆發出一聲怒吼，引得在場的人哈哈大笑。

暗黑的長街上，已經沒有行人，日間的喧囂亦平靜下來。昏天暗地裡，只有一間自助洗衣店不分晝夜繼續營業，為漆黑的街道提供一點亮光。一名青年剛把一袋衣服放進洗衣機，之後便坐下來用手機玩遊戲。闃寂的夜裡，只剩下射擊遊戲發出的槍聲和洗衣機運轉的聲音……

「申請者必須年滿十八歲，樂於與人分享自身的故事和感悟，擁有獨特經歷者更佳。」

為甚麼我的父親不是木村拓哉？

下課後小霖乘巴士回家。途中她拿出手機，打開木村光希和木村心美的IG，看看她們有甚麼更新。

二人不約而同上載了新的相片，當中有擁着愛犬的照片、姊妹的合照、為某化妝品品牌拍攝的宣傳照和一些生活照。

自從木村光希和木村心美出道後，小霖便一直留意她們的動靜。因為是「星二代」，所以特別受人關注，傳媒亦爭相報道她們的消息。出於好奇，小霖也湊熱鬧一直追蹤二人的動向。

二人不但長得漂亮，還能操多國語言和彈奏多種樂器，也有表演天分，肯定能夠在演藝事業上有所成就。小霖比較喜歡姊姊木村心美，她的外型清純脱俗，接受訪問和替雜誌拍照時一本正經，但骨子裡卻是一名傻乎乎的少女。有時候她會瞪着眼，縮起下巴，露出門牙，模仿動漫角色。有時候她又會放下美女形象，扮鬼臉，翻白眼，裝瘋賣傻跳舞，相當討人歡喜。每次看到這些惹笑短片，小霖都會捧腹大笑。

前陣子她們的爸爸木村拓哉也開了IG，短時間內便招徠過百萬名追蹤者。小霖原本不是他的「粉絲」，但因為兩姊妹經常提及爸爸，令小霖也開始留意他的新聞。看了幾齣他主演的日劇和電影後，小霖也漸漸迷上他。

維基百科上的資料顯示木村拓哉生於一九七二年十一月十三日，巧合地小霖的爸爸也在同年出生。

雖然年紀相同，但外型上，木村拓哉明顯較年輕和健美。小霖的爸爸已經謝頂，眼角和額頭也出現皺紋。近年他不再做運動，放假時只顧吃和睡，以致腰身圍了一圈贅肉。人到中年，他懶得打扮和保養，兩三天才刮一次鬍子，皮膚乾巴巴也懶得塗潤膚膏，每天都穿同一件佈滿褶皺的恤衫上班。

木村拓哉很愛妻子和女兒，一家人相處融洽。他經常作弄女兒，與她們打成一片。妻子生日，他上載了一張與妻子的合照，為她送上祝福。小霖的爸爸下班後便躺在沙發上看電視，很少與子女溝通。他又時常忘記妻子的生日，每年都要兒女提醒，他才急忙趕去購買生日禮物。

木村拓哉工作態度認真，每次演出都全情投入，把劇本背誦得滾瓜爛熟，與他合作過的演員和導演都對他讚不絕口。小霖的爸爸抱持着完全相反的工作態度，他做事馬馬虎虎，每天磨磨蹭蹭等下班。他胸無大志，全無意欲向上爬，縱使身邊的同事大部分已經升職加薪，他都一點也不介意……

兩位父親，無論外表和素質都有天淵之別，

一人是各方面都能做到盡善盡美的不老男神，另一人是各樣事情都得過且過的頹廢大叔。

小霖非常羨慕木村光希和木村心美，因為她們擁有一位能令她們引以為傲的父親（提起爸爸，小霖想到的是他醉酒時出洋相和打瞌睡時唾液懸吊嘴角的情景）。她一邊滑手機一邊想，為何我的父親不是木村拓哉？

巴士駛到住處附近，小霖下車，準備去超級市場，替媽媽購買日用品。

小霖把購物清單儲存在手機裡，快到超級市場，她從褲袋掏出手機，查看有甚麼物品需要購買。掏出手機的一刻，手機突然滑出了她的手，她來不及抓住它，眼睜睜看着一部價值六千元的iPhone 掉進路邊的排水溝裡！

小霖一個月前才購買這部電話。過去幾個月，她為兩名中學生補習，把賺到的錢儲起來，省吃儉用才買到這手機。現在手機與垃圾和煙蒂，一同浸泡在黑油油的污泥中，生死未卜。

小霖不知如何是好，她左顧右盼，想找人幫忙。但途人匆匆忙忙，一個個掠過她身邊，根本無人願意停下腳步理睬她。小霖急瘋了，就在這時候，老遠出現一個熟悉的身影。

爸爸剛下班，正步行回家。小霖不等他步近便跑過去向他求救，爸爸以為女兒出了甚麼事，得知事情始末後才鬆一口氣。

爸爸放下公事包，蹲在排水溝前想辦法。他見地上有幾根樹枝，於是拾起其中一根，利用它撥開手機旁的垃圾和煙蒂。清楚見到手機位置後，他在附近的垃圾桶裡翻找，希望在垃圾中找到甚麼可以利用的廢物，勾起電話繩或夾起電話。他努力尋找了大半天，但翻出來的只是飯盒和空罐。

日落西山，天色逐漸由湛藍變成灰藍，入夜後相信更難把電話打撈上來。

無計可施，爸爸最後選擇使用最直接的方法取電話。他使出九牛二虎之力，徒手移開鐵製的排水溝的蓋板，然後二話不說，脫去鞋襪，摺起褲腳，像一尾泥鰍，滑溜溜地鑽進排水溝裡！

他的舉動立即引來途人圍觀。爸爸上半身露出地面，下半身陷於排水溝裡。囤積於腰部的脂肪令他在狹窄的空間難以動彈，他漲紅了臉，汗如雨下，奮力併攏雙腿，幾經辛苦終於用雙腳夾住電話！

成功夾住電話後，他在小霖和熱心途人的幫助下，被揪住胳膊拖拉上來。他喘噓噓，雙腳濕乎乎，渾身沾滿烏黑的泥垢。小霖拿手帕替他拭汗和抹身，之後檢查手機有沒有損毀。雖然螢幕有些破裂，但奇跡地手機仍能運作……

回到家，爸爸立即洗澡，小霖把他的衣物放進洗衣機清洗，之後拿出消毒液，替手機徹底消毒。

晚飯時小霖夾了一隻雞腿給爸爸，以此感謝他剛才作出的犧牲。由於媽媽和弟弟不知內情，所以不明白為何小霖會突然對爸爸如此殷勤。爸爸見他們一臉疑惑，於是道出剛才發生的一切。他加油添醬，説自己如何奮不顧身跳進排水溝拯救電話，如何排除萬難完成這個艱鉅任務。他説得眉飛色舞，小霖一邊聆聽一邊竊笑，心想就讓他當一會兒英雄吧！

晚飯後小霖埋首做功課。用電腦寫論文時，無線滑鼠突然故障，她翻箱倒篋，終於在一堆舊物中找到那隻老舊的有線滑鼠。不少塵封的東西，堆在家中一角，一個鞋盒裡盛載了一些舊照片。

一些童年照勾起不少回憶，小時候父母時常帶她和弟弟四處遊玩，每次出遊都會拍照留念。全家去海洋公園觀看海豚表演、在噴水池旁吃冰淇淋、在公園盪鞦韆、去太空館看展覽……十多年前的事，只留下模糊印象，現在看照片，才記起這些經歷。她和弟弟仍是小孩時，父母經常對他們摟摟抱抱，外出時亦會捉緊他們的手。小霖非常懷念被爸爸牽手的感覺，他的手暖烘烘，冬天時被他拉着，感覺溫暖和幸福。

除了童年照，鞋盒裡還有一些父母結婚前的照片。部分照片經過蟲咬鼠齧和歲月沖刷，已經殘舊破損和泛黃褪色。婚前媽媽好像無憂無慮，在鏡頭前活蹦亂跳，笑容非常燦爛。爸爸年輕時擁有一身古銅色皮膚，身形瘦削，頭髮濃密，與現在的他判若兩人。其中一張照片上的他竟然留了一頭長髮，活像《悠長假期》裡的瀨名秀俊，原來當年的爸爸與木村拓哉都有幾分相似！

申請者必須年滿十八歲，樂於與人分享自身的故事和感悟，擁有獨特經歷者更佳。」

舊衣箱

兒子

烈日下幾名小孩在庭園裡玩蹴鞠，他們追着球奔跑，弄得渾身塵土，滿頭大汗。

皮球被踢來踢去，互相傳球時有人接不住球，皮球跨過一扇窗，落入了室內。

木蘭的兒子打開父母臥室的門，進入裡面尋找皮球。皮球滾到床下，他俯身取球。床下放了一摞舊書、一張破爛的凳子、一些佈滿蛛網的畫卷和一個箱子。好奇心驅使下，他打開箱子查看，發現木箱裡放了幾件男性衣服和一套戎裝，相信是屬於父親的。他掀起衣服，隨意翻找，希望找到甚麼有趣的東西，但木箱裡除了衣服，甚麼也沒有。

黃昏時所有孩子回家吃晚飯，他們離開後，庭園裡只剩下木蘭的兒子。木蘭的兒子坐在石階上休息和納涼，這時爺爺外出歸來，坐下來與他聊天。爺爺問他今天做了甚麼，他告訴爺爺整天下午都與朋友玩蹴鞠，玩蹴鞠時在父母的床下發現一個舊衣箱。他問爺爺這箱衣服是不是父親打仗時穿的，爺爺回答這些衣服其實是屬於你娘的。木蘭的兒子聽後感到很驚訝，母親怎會穿男裝和軍服？爺爺看着穹蒼上逐漸浮現的繁星，開始追憶往事。十多年前可汗下令徵兵，抵抗柔然的入侵，那時我年事已高，你舅父又年幼，無法上戰場，所以你母親便決定代替我出征……

妻子

河水潺潺，木蘭獨自在河邊散步。她凝視水中倒影，眼前的女子明明是自己，但又不是真正的自己。

木蘭很想念行軍打仗的日子。戎馬生涯雖然艱苦，每天披着戰袍，策馬奔馳，衝鋒陷陣，也試過與死神擦身而過。但相比現在的生活，那時禦敵保國的日子卻有意義得多。

如今生活雖然安穩，但卻平淡乏味。相夫教子、燒菜煮飯、洗碗洗衫、種菜耕田、還要應付婆媳紛爭，應酬親戚朋友，這種生活真叫人吃不消。早知如此，當年應該接受可汗的封賞和官爵，當官總好過回鄉結婚生子。

木蘭從來沒有向人表白代父從軍的真正原因。

自小她已經有別於其他女孩，她討厭刺繡、織布和彈琴，喜歡騎馬、射箭和爬樹。她邋邋遢遢，粗手粗腳，終日横衝直撞，如同一名男孩。

沒有男人會娶這樣的女孩，母親擔心她將來不能順利出嫁，於是開始禁止她四處跑，更強迫她學禮儀、梳妝和烹飪。

這段日子木蘭過得很辛苦，她每天都要努力

扮演一名淑女，舉手投足要斯文優雅，說話不能粗聲粗氣，外出時要塗脂抹粉，畫眉點唇，也要穿上姑娘的衣裳。這些舉動完全違背她的天性，雖然外觀上她裝扮成女孩，亦擁有女孩的身體，但她知道體內潛伏着另一個人，這個「他」一直等待機會破繭而出。

木蘭一直默默忍受，最後解脫的日子終於來臨。某日他們收到徵兵的軍帖，上面寫了父親的名字。年邁的父親實在難以勝任這任務，她突然生出一個大膽的想法：女扮男裝代父出征！這樣父親不用冒險出去殺敵，她亦可以藉機撇下女兒身，名正言順當一個男人！

一陣風拂過來，河面泛起漣漪，波光瀲灩。木蘭的倒影在蕩漾，她好像看見水中的女子再次幻變成雄糾糾的男兒。

丈夫

木蘭的丈夫跟在木蘭身後，為免被妻子發

現，他左躲右閃，一時以路邊的樹作掩護，一時蹲在竹籬後，一時混在人叢中。

木蘭攜着一個鼓囊囊的布袋出門，她走得匆忙，一邊前行一邊回望，似乎害怕別人發現她的行蹤。木蘭的丈夫緊隨着她，最後她進入了一間客棧，這裡應該就是她與情人會面的地方。

近來妻子經常以不同藉口外出，做家事時心不在焉，又拒絕與他親熱，夫妻間的話亦愈來愈少……種種跡象顯示他們的感情已經凋萎，她一定是愛上了別人。今天無論如何他都要查明這男人的身份，並好好教訓他一頓。

木蘭的丈夫守在客棧外，等待適當時機入內揭發妻子的不忠。

等候期間他想起他和妻子一起作戰的歲月。十多年前二人一同入伍，那時他與木蘭已有婚約，軍中只有他一人知道木蘭是女兒身。他充當木蘭的兄長，一直伴隨在她身邊。多年來他們患難與共，一同出生入死，這份深厚感情，這麼容易便被摧毀？

戰時發生的事歷歷在目。木蘭雖然是女孩，但她的表現不會比同袍遜色，甚至比男人更強悍。遇到敵人，她從不畏縮，每次都拼命戰鬥。打仗時每天翻山越嶺，日曬雨淋，很多人支持不住，她仍然咬緊牙關撐下去。見到身首異處和血淋淋的死者，不少人被嚇至臨陣脫逃，但她仍然面不改色。

某次，軍中一名不識好歹的小子想與她比武，木蘭拒絕，他不斷挑釁和嘲笑她（嘲笑她膽小不敢應戰）。最後木蘭終於按捺不住，與他切磋武藝。小子膀闊腰圓，體力更勝木蘭，其他人估計木蘭未必能夠打贏他。怎料交手時，木蘭瞬間便一腳把他踹到一丈之外！

木蘭紮起頭髮，束了胸，穿上戎裝後，有時候他也分不清她是男還是女。她好像雌雄同體，他愛的究竟是哪一個木蘭？

街上人來人往，顧客不停進出客棧。時機成

熟，木蘭的丈夫衝入客棧尋妻，但找了一遍也找不到木蘭和她的情人。他無可奈何，惟有打道回府。回到家，他看見床下的衣箱被搬了出來，裡面的衣服不知被誰拿走了……

情人

木蘭遲遲未出現，玉兒感到很憂心，她在房裡不停踱步。正當她想事情是不是出了岔子時，木蘭終於來到客棧。二人一見面便相擁。之後，木蘭打開手上的布袋，掏出兩件男性衣服。換上男裝後，她們原來的身份已被成功掩藏。

玉兒兩個月前才認識木蘭，她做夢也想不到兩個月後她會撇下一切，與她遠走高飛。

那天玉兒與幾名婦女在河邊洗衣，遇見正在散步的木蘭。大家對於木蘭打仗時的經歷都很感興趣，於是向她問了很多問題。木蘭不厭其煩，逐一回答各人的提問。後來每次見面大家都會閒聊，幾個女人不久便混熟了。

某一天，河邊只有玉兒和木蘭。玉兒談起已經戰死沙場的丈夫時禁不住潸然淚下。為了安撫她，木蘭把她摟在懷裡。木蘭的身體軟綿綿和暖烘烘，被她抱住的玉兒感到心跳加速和雙頰發燙。這種體驗前所未有，她覺得很不安，於是一手推開木蘭，這時她發現木蘭的臉同樣燙得一片酡紅！

這晚玉兒輾轉反側，直到天亮，亢奮的心情仍然無法平復。

發生了這件事後兩人沒再來到河邊，在路上相遇也匆匆避開對方。她們雖然不見，但思念之情卻沒有減退，相反變得愈來愈濃烈。最後，一個晚上，木蘭趁丈夫遠行，偷偷溜進玉兒的家……

關於二人的流言蜚語開始在坊間流傳，玉兒和木蘭之間的事遲早會被揭破，商量後她們決定私奔，遠走他方展開新生活。

玉兒和木蘭戰戰兢兢離開客棧，幸好沒有人

認出喬裝後的她們，她們沿河前進，順利逃出了居住的鄉鎮。

風蕭蕭，雨綿綿，這天的光景與木蘭十多年前離家打仗時一樣。木蘭想不到舊事又再一次重演，今天她和玉兒正面對另一場戰爭。這次要擊敗的敵人不是柔然的軍隊，而是幾千年的傳統，一對同性戀人要戰勝世人的歧視和偏見，可能比打敗千軍萬馬更加困難！

圖書館現正招募「真人圖書」，歡迎市民加入「真人圖書」的行列。|

公主落難記

「申請者必須年滿十八歲，樂於與人分享自身的故事和感悟，擁有獨特經歷者更佳。」

我與你無怨無仇，為甚麼你要一次又一次讓我慘死？當我身處險境，聲嘶力竭地呼救時，你竟然可以置若罔聞，袖手旁觀，見死不救。你不只不助我脫險，有時候還惡意推我一把，讓我一個踉蹌，更快跌進鬼門關。

聖誕節時我們在網上邂逅，透過螢幕我們可以看見對方。那時你身穿筆挺的西裝，結着領帶，斯斯文文，相當討人歡喜，老實說首次見面我便喜歡你。我暗自欣喜，以為遇上白馬王子。但認識和相處後我才發現你表裡不一，你根本不是會捨命保護我的王子，而是擁有虐待傾向的現代薩德侯爵！

遊戲裡你穿上鎧甲，佩帶寶劍，騎着駿馬，救我出魔域。遊戲很簡單，每一局我都置身不同險境，你的任務就是要把我從危難中拯救出來。

每名玩家都需要時間去摸清一個新遊戲的玩法，摸索出竅門後便能過關斬將，未熟習遊戲模式前，遊戲角色難免遭逢一次又一次的死亡。開始時我以為你與其他玩家一樣，技術未成熟所以未能順利拯救我，但後來我才發現你是刻意弄死我的！

當我被吊在鱷魚潭上時，你故意待魚群游過時才割斷繩子，讓我撲通一聲掉進潭裡，成為鱷魚的點心。當狗頭人身的士兵拿着刀在我背後亂砍亂劈，追殺我到懸崖時，你突然拉起吊橋，我煞不住腳，最後墮崖而死。經過屍橫遍野之地，我們被無數惡靈纏擾，雖然你成功奪得驅鬼符咒，但你卻沒有使用，眼睜睜看着我被厲鬼拉進陰間。攀山逃亡時，你手握神弓，原本可以輕易殺死頭上的巨鷲，但你卻把箭胡亂射向半空，累我被巨鳥叼走……

最糟糕的一次，我在同一局連續死了十次！當時我置身斷頭台下，你如常不阻止悲劇發生。行刑時間一到，刀片嗖的一聲落下，斬下我的頭，殷紅的鮮血從我的脖子噴灑出來，我的頭顱像一顆冬瓜骨碌碌滾下階梯。可能這一幕的視覺效果特別逼真，倍增了官能上的刺激，加上你不急於過關，於是一次又一次讓我死，從中取樂（我一直偷窺你的反應，聽到我尖叫時你表現興奮，鋼刀落下的一刻你在獰笑）。

多次被蓄意謀殺後，我懷疑你是一個心理變態。其他玩家總是一心想過關，勇往直前，擊退敵人，然後英雄救美，從勝利中獲得滿足感。但你的情況剛相反，你一心想我死，看我被虐待和殘殺。目睹這些血腥和暴力畫面，似乎能為你帶來更大喜悅。

不要以為由電腦繪製出來的數位角色，只是一堆沒有情感的像素，其實現在很多遊戲角色都已能模擬出真人的反應。當我被刀刺中，被火燃燒，被猛獸噬咬時我真的會感到痛楚，為了避難而疾走時會疲累和流汗，危機來臨時心跳會加速，每次面對死亡也同樣驚懼。若果你知道我也能思想和感受，你還會視我的生命如草莽？

我每天被你折磨一兩小時，無聊時你便開啟平板電腦玩這個遊戲。乘車時、等人時、午休時和下班後我們都會見面，你對這個王子拯救公主的遊戲情有獨鍾，好像入了迷，對其他遊戲置之不理。有時候興致來了，吃飯時你會突然擱下飯碗玩一會。半夜醒來，未能再入睡，又會把我喚醒，叫我在魔域裡跑來跑去娛樂你。你的興致來得快，也走得快，很多時遊戲未結束，你便按下「暫停」按鈕跑去做其他事情，累我呆呆地卡在遊戲中，不知如何是好（某次我僵立在熱帶雨林中大半天，動彈不得，被蚊咬蟲螫，癢痛得死去活來！）

你是我遇過最差的遊戲玩家。為甚麼你會如

此冷酷無情？你是天生的虐待狂？抑或後天因素令你淪陷墮落？現在的人多數以手機和平板電腦處理日常大小事務，通訊和娛樂也倚靠這些隨身裝置。透過你的平板電腦，我或許能窺探你的人生，剖析你的心理，找出你成魔的歷程。

你把平板電腦當作手機使用，平日拿它來與人溝通。平板電腦上的通話記錄顯示你朋友不多，經常來往的都是那幾個人，每逢週末你們便會聚會，一同去蘭桂坊消遣。除了幾名友人，常與你聯絡的還有你的父母。你獨自生活，所以父母經常來電，詢問你的近況，並作出各樣叮囑。我以為你偏愛殺戮式的遊戲，但你下載的其他遊戲全部不涉及暴力，你特別鍾愛懷舊遊戲，曾經廢寢忘食地玩《食鬼》和《青蛙過河》。除了打機，你的另一個嗜好是聽音樂，平板電腦裡儲存了幾千首歌，無論是流行曲、爵士樂或古典音樂你都喜歡。你經常查看財經網頁，留意股市升跌，也在網上買賣股票。相簿裡的照片都是一般的生活照和家庭照，沒有值得留意的地方⋯⋯

你的生活平凡又普通，與你施虐的行為扯不上半點關係，我無法理解你的內心世界。茫無頭緒之際，我突然想起電影裡的偵探很多時都會翻疑犯家裡的垃圾桶找罪證，我於是依樣畫葫蘆，檢查最近被丟棄的檔案，查看了一會後果然有所發現！

我在相簿的垃圾桶裡找到很多被丟掉的照片。這些照片大部分都是你與一名女孩的合照，或是這女孩的單人照。合照上你們像連體嬰般親密，猜想你們曾經是一對愛侶，後來不知甚麼原因而分手（你刪除她的所有照片，就是為了忘記過去）。你在聖誕節前刪去這些相片，估計你們的感情應該是在那時候告終。審視這批相片時，最令我驚訝的是我的相貌竟然與這女孩很相似！同樣的鵝蛋臉兒、同樣長髮披肩、同樣一雙杏眼、同樣的酒靨⋯⋯原來我一直充當她的替身，成為你復仇和洩憤的對象！

我在第一局死了又重生，無限輪迴，永劫回歸。我在第二局死了又重生，無限輪迴，永劫回歸。我在第三局死了又重生，無限輪迴，永劫回歸。我在第四局死了又重生，無限輪迴，永劫回歸。我在第五局死了又重生，無限輪迴，永劫回歸……

我的命運早已編寫在程式裡，所以無力反抗，惟有默默忍受。我被你折騰了兩個月，徹底的心力交瘁，但我仍然抱有一絲希望，終有一天你會玩膩這個遊戲，到時惡夢便會完結。

農曆新年後我的期盼真的實現了，你一直沒有啟動我的遊戲。我以為你工作忙碌，抽不出時間玩樂，但打探後才得知原來你交了新的女朋友。自此之後，我倆沒再見面，最後你更把遊戲程式移除。

我終於重獲自由！

不久，我遇上真正的白馬王子。這名玩家其貌不揚，邋邋遢遢，是一名足不出戶的宅男。雖然外貌並不討好，但他態度認真，技術了得。我們闖過一關又一關，最後來到第一百局。魔王終於現身，牠面目猙獰，高大堅壯，手持巨斧，與我的王子展開生死惡鬥。經過一輪激戰後，王子終於擊倒魔王。這時公主親吻王子，他們牽着手離開魔域，一條金光大道在面前鋪展，引領二人步向幸福的未來……

人形圖書

「申請者必須年滿十八歲，樂於與人分享自身的故事和感悟，擁有獨特經歷者更佳。」

讀者如想借閱「真人圖書」，可登入圖書館網頁預約，收到通知後在約定時間前來圖書館，憑借書證便可借閱「真人圖書」。

圖書館最近推出了「真人圖書借閱計劃」，借出活生生的真人，讓市民與不同背景和階層人士面對面交流，透過談話理解這些人的生活、經歷和想法。這些「真人圖書」多數是社會上的小眾人士，或擁有特殊經歷的人。推出這個計劃旨在打破人與人之間的隔閡，消除歧視，促進社會共融。

十本「真人圖書」坐在亮堂堂的大廳裡，大部分已被人借閱，被讀者簇擁着，幾個人圍成一圈在聊天。未被借出的「圖書」在玩手機消磨時間，等待讀者的來臨。如同其他新購入的圖書，每本「真人圖書」身旁都豎立着一個牌子，向讀者作出簡介。

這次上架的「新書」有穆斯林教徒、從事殯儀業的員工、失明人士、同性戀者、外籍家庭傭工、戰地記者……這批「新書」有男有女，有老有幼，亦有不同國籍和膚色。這次最多人借閱的「圖書」是一名抗爭者，看來公眾都想多了解這群上街示威的年輕人的心態。

一星期前，在好奇心驅使下，我預約了一本「真人圖書」。今天我來到圖書館，準備閱讀這本「圖書」。

讀者每次限借一本「真人圖書」，每本「真人圖書」最多可供五人同時閱讀。

女孩身旁的牌子上寫着「陳珍妮，厭食症患

者」。但左看右看，眼前的女孩都不像曾經患上厭食症。

叫陳珍妮的女孩身材匀稱，身高體型與常人無異，健康正常。她穿着運動衣和白色波鞋，腳邊躺着一個軟趴趴的背包，裡面放着手機、礦泉水和一本筆記簿。

陳珍妮先作自我介紹，然後與我們幾位讀者寒暄了幾句，之後便開始講述她的經歷：「求學時期我像大部分少女，不太滿意自己的身材。縱使那時我的身形標準，並不肥胖，但仍想變得更加纖瘦。為了塑造苗條身形，我開始吃減肥藥、做運動和節食。我愈吃愈少，有時候甚至不吃午餐，偷偷扔掉媽媽為我準備的午飯，晚餐後也試過以催吐方法把胃裡的食物嘔吐出來。那時就算面對美食，我也完全沒有胃口。雖然我成功令體重下降，腰圍減至只有二十四寸，但我仍然不滿意，只想繼續瘦下去。父母擔心我的健康，勸我不要再減肥，但我不理會他們的勸告，最後身體終於出現毛病。我的月經停止了，更有貧血現象。某日我在學校突然暈倒，從樓梯上滾下來，老師立即送我去醫院，診斷後醫生說我患上厭食症……」

訴說過去的經歷時，陳珍妮打開手機向我們展示患病時的照片。那時她只有八十磅，瘦骨嶙峋，面容憔悴，像株佝僂的枯木，與現在的她判若兩人。看完照片，大家都深切體會到厭食症對患者造成的傷害。

被診斷患上厭食症後，在醫生和營養師的幫助下，經過多月治療，陳珍妮終於康復過來，體重回復至正常水平。吃過苦，陳珍妮說以後都不會再以極端方法去減肥，也不會盲目追求完美的身段。

陳珍妮說完她的故事，有讀者想進一步了解厭食症的治療過程，但無奈下批讀者已經在大廳外等候，在館員催促下，我們不得不終止對談，讓座給其他人。

借閱「真人圖書」的時限為半小時，如無人預約，讀者可於一天內續借同一項目兩次。

我對陳珍妮念念不忘，她的身影和聲音不時在我腦裡縈蕩，某個晚上我想着這個曾經患上厭食症的女孩，遲遲無法入眠。上次見面我只閱讀了她的人生中的其中一個章節，除了患厭食症的經歷，我想知道更多有關她的事。

我決定登入圖書館網頁再次進行預約。

我查看陳珍妮的駐館時間，她只會在週末去圖書館當「真人圖書」，不幸的是接下來兩個週末的借閱名額已滿，我要兩個星期後才能預約到她。

我不想被漫長的等待煎熬，希望能盡快見到她，我於是預約了另一本「真人圖書」，這樣幾天後我便可以借故接近她。

星期天我再次來到圖書館，這次我要閱讀的「真人圖書」是一名「麥難民」。眼前的中年漢因為失業，無法繳付租金，所以過去半年都在二十四小時營業的麥當勞留宿。他講述每晚流落快餐店的經歷時，我假裝聆聽，但事實上我對他的遭遇一點也不感到興趣，我的視線不時游移到坐在遠處的陳珍妮身上。

今天陳珍妮換上黃色襯衣和藍色牛仔褲，腳上仍舊踏着上次那對潔白的波鞋。這時她正解答讀者的提問。不久，陳珍妮留意到我的注視，與我四目交投時，她靦腆地迴避我的目光。我收回目光時，她又偷偷打量我。她每天與幾十位讀者會面，她記不記得我？

兩個星期過去了，與陳珍妮見面的日子終於來臨。這天出門前我花了點時間打扮，刮掉兩天沒剃的鬍子，洗頭後抹上髮蠟，穿上熨得筆挺的恤衫，希望以亮麗整齊的外表吸引她的注意和博取她的歡心。

見到我重臨陳珍妮的臉上掠過一絲驚喜，但她很快便把這份情感掩藏起來，她裝作若無其事，與上次一樣，自我介紹後便與我和另外兩位讀者複述我已經聽過的故事……

三十分鐘的借閱時間很快便結束，圖書館也即將關門。我在館內兜圈，一直不願意走，直到陳珍妮步出圖書館，我才跟着她離開。我們在升降機前「偶遇」，陳珍妮似乎看穿我的意圖，低着頭竊笑。我把握機會，鼓起勇氣邀請她一同吃晚飯，我以為她一定會拒絕陌生男子的邀請，但想不到她一口便答應我的請求。

「真人圖書」只供館內閱讀，不得外借。

我和陳珍妮開始正式交往。圖書館來了一批新的「真人圖書」，陳珍妮不用再去那裡做義工，我們每個週末都可以見面。我們逛商場、唱卡拉OK、溜冰、看電影和去二手書店尋寶，共度很多快樂時光。

現在我們的交流毋須再受到時間限制，我有

充裕時間細閱她的人生，進一步了解她的為人和過去。

陳珍妮生於小康家庭，父母都是公務員，她是「九十後」，有一位弟弟，現在在英國的大學讀建築。陳珍妮自小愛繪畫和寫作，兩方面都頗有天分，只要手上有紙和筆，她便可以用文字和圖畫構築自己的世界，以此消磨整天時間。她不是高材生，但成績不錯，讀完中學後她順利考入大學，修讀中文，畢業後再取得教育文憑，之後便在一所小學教書。

陳珍妮不看韓劇，只看日劇。她喜歡台灣作家的作品，看過朱天心的《初夏荷花時期的愛情》很多次。她是「蘋果迷」，愛用 iPhone 和 iPad 。她愛整齊，衣櫃裡的衣物全部分門別類擺放。翻雜誌時她習慣由最後一頁開始閱讀，乘巴士她總是坐在最後一排座位……

她不吃生食，所以從來不吃刺身和壽司。她不穿黑色衣服，因為黑色令她聯想到死亡。她不喜歡蓄長髮和穿 Crocs 涼鞋的男人。見到那些頹坐路邊向路人乞討旅費的外國「廢青」她便感到厭惡。每次提起「怪獸家長」對老師作出的無理投訴時她便氣得七孔生煙，拍枱詛罵……

相處了一段日子，我和陳珍妮都覺得與對方甚為契合，雙方都希望繼續發展這段感情。認定了男女朋友的地位後，我把她介紹給朋友認識，見了幾次面，大家也開始視她為一分子。

現在我不再感到孤單，生病時有人照顧，傷心時有人安慰，與人吵架都有人在旁聲援。陳珍妮是我至今遇過最投緣的一位異性，有她相伴蒼白的生活添上了色彩，平淡的人生亦變得精彩。

讀者的言行如果冒犯「真人圖書」或侵犯個人隱私，「真人圖書」有權拒絕回答讀者的提問或隨時終止借閱服務。

暑假時我和陳珍妮去海灘游泳，這天她穿上

比堅尼泳衣，性感迷人。

我想留住這美好光景，於是拿出手機替她拍照。起初她嬌羞地逃避鏡頭的追捕，但我跑得比她快，她被我逼到一角，無處可逃，半推半就下惟有站定給我拍照。拍攝完畢，她提醒我千萬不要把相片上載到互聯網。我唯唯諾諾，向她保證不會公開照片。

幾天後，我把承諾置之腦後，把一幀照片寄給朋友欣賞（女朋友這麼可人，當然要炫耀一番）。我吩咐他看完照片後立即把它刪除，怎料他竟然把照片轉寄給另一位友人。最後照片不知經過甚麼途徑，流傳到網上，更被陳珍妮的同事發現。這位同事一向不喜歡陳珍妮，她乘機向校長打小報告。開學時校長召見陳珍妮，說她發佈這些「不雅」照片有損教師專業形象，把她狠狠訓斥了一頓。

事後我向陳珍妮道歉，但她沒有原諒我，她說我背叛了她，辜負了她對我的信任。

她不接我的電話，不回覆我的短訊。某次電話接通了，我想約她出來見面，但她找借口推卻了我的邀請。最後我買了一束花，在她住處附近等她，盡最後努力，再次求她原諒我。

我蹲在路邊，等了兩個小時，終於見到她。她走出計程車時我想上前與她打招呼，這時我赫然發現有人與她同行。與她一同走出計程車的是一位男孩，我從未見過他，他們牽着手前行，有說有笑，態度親暱，一看便知道二人是熱戀中的情侶。

我停住腳步，不知如何是好。這時陳珍妮和新歡大剌剌地在我身邊步過，陳珍妮對我視若無睹，我像傻子捧着鮮花站在路上，眼睜睜看着二人進入了大廈……

閱讀完畢讀者需到櫃台辦理還書手續。

我曾與幾位女孩交往，最後都分手收場。每

次與女朋友分手都會感到傷心和難過，但通常過了一段日子，情緒平復下來後便會忘記過去，重新出發。但這次分手造成的傷害卻比以往深，這段戀情深深銘刻在腦海裡，愈想忘記愈難忘記。

失戀後，我失去食慾，變得面黃肌瘦。我終日長吁短歎，耷拉着腦袋，做任何事都提不起勁。世界好像變得黑鴉鴉，沒有光彩，沒有歡笑，沒有希望。

下班後我與朋友去酒吧喝酒。他們輪流陪伴我，聽我訴苦。平日大家都會喝酒聊天，我只會淺嚐幾杯，不會喝醉。但失戀後我飲得很凶，喝得醉醺醺頭腦遲緩，思緒不再亂竄，我便能獲得短暫解脫。

酗酒的惡習逐漸形成，如蛆附骨，明知對身體不好，但用盡方法也戒不掉這個壞習慣。每次酒醒後我都立下誓言，以後不會再碰杯中物，但戒酒一兩個星期後，我又故態復萌。

暴飲後我情緒失控，不停唾罵，痛苦嘶叫，

又突然抽抽搭搭哭起來。我吐出胃裡的一切，胃被掏空，渾身癱軟，連走路都乏力。我的身心已經徹底垮塌。

某個週末我獨自在公園狂飲啤酒。我把一罐又一罐啤酒灌進肚裡，可能喝得太快，酒力一下子發作，我感到頭暈眼花，瞬間便失去知覺。兩名路人見我暈倒在長椅上，臉色慘白，可能有生命危險，於是立即把我送去附近的急症室……

圖書館現正招募「真人圖書」，歡迎市民加入「真人圖書」的行列。申請者必須年滿十八歲，樂於與人分享自身的故事和感悟，擁有獨特經歷者更佳。

我坐在大廳的一角，身旁的牌子上寫着「曾卓賢，酗酒者」。

面前幾位讀者安頓下來後，我開始講述我的故事：「半年前我因為失戀，開始借酒消愁，不知不覺染上酒癮。那時我差不多每日都喝酒，威士忌、啤酒、伏特加，所有酒都喝，不飲酒便坐立不安和失眠。宿醉令我疲倦和煩躁，我無法專心工作，因為頻頻犯錯，差點被雇主解僱。我經常發脾氣，朋友開始遠離我這個酒鬼。某次我喝得爛醉如泥，在計程車上嘔吐，與司機爭執起來，差點被警察逮捕。喝酒後出現種種惡果，對於失態的行為我感到非常羞恥，但我無論如何努力都無法逃出這個怪圈……直到有一次喝酒喝至酒精中毒，在公園暈倒，在醫院昏迷了兩天才醒來，那時我才突然覺醒，若不作出改變，這惡習終有一天會奪去我的性命。出院後我下定決心戒酒。我參加了一個酗酒治療計劃，定期接受醫生治療和輔導。治療過程中我認識了其他的酗酒人士，互相鼓勵和扶持下，戒酒的信心增加了，搏鬥了幾個月，我終於戰勝心魔……」

幾位讀者都有喝酒習慣，聽完我的遭遇後，明白酗酒的害處，他們都異口同聲說以後不敢過量喝酒。

回答了幾條問題，借閱時間快要結束，最後有人問我：「曾先生，為何你會來當真人圖書？」我想起一年前自己也問過陳珍妮同樣的問題，當時她回答：「我不想別人走上我的路，受同樣的苦，所以說出經歷，希望其他人引以為戒。」當時我覺得她的答覆有點陳腔濫調，但她的話卻正好道出了我現時的心聲，這也是我來這裡做義工的目的。因為想不出更好的答案，我於是把她當日的話向讀者複述了一遍。

下一批讀者還未到來，我趁機休息，喝了兩口水。我看着昔日陳珍妮坐過的座位（現在那裡坐着一名素食者），彷彿仍能看見她的倩影和聽到她的笑聲。不知她的近況如何？最近看了甚麼日劇？閒時還有繪畫和寫作嗎？那群「怪獸家長」有沒有纏擾她？她有沒有購買新推出的iPhone？……

圖書館現正招募「真人圖書」，歡迎市民加入「真人圖書」的行列。

申請者必須年滿十八歲，樂於與人分享自身的故事和感悟，擁有獨特經歷者更佳。」

選擇

我和穿黑色西裝的男人坐在榕樹下，看着對面挨挨擠擠看熱鬧的人群。一隻螞蟻沿着男人的手指爬到他的手背上。男人隨時可以捏死牠，但他沒有這樣做，他揮一揮手，把螞蟻甩到半空。

「人究竟有沒有自由意志？」我問身邊的男人。

「當然有。」男人想也不想便回答。

「舊日我也認為人擁有自由意志，但現在我對這想法存有懷疑，命運根本不是掌握在自己手裡，人生的際遇和結局一早已註定……」

「甚麼令你成為決定論的支持者？」

「剛才發生的事你認為只是一場巧合？」我

指着對面的意外現場說。

「你是不是暗示這並不是一場意外？」男人猜出我心裡的想法。

「或許一切都是你的精心安排……」我轉頭瞪着男人，企圖從他的表情看出一點端倪。

上班／不上班

一道陽光溜進室內，床邊的鬧鐘響起來，吵醒了酣睡的家明。

昨日不用上班，家明整天外出與朋友消遣，本來打算吃完晚飯便回家休息，最後又被朋友拉了去唱卡拉 OK，直至凌晨才與朋友分道揚鑣。

唱卡拉 OK 時喝了不少酒，因為宿醉，醒來後家明感到昏昏沉沉和口乾舌燥。他不想上班，佯裝生病告假便能繼續在床上睡覺，但因為想去旅行，所以不得不賺錢實行這計劃。

中學畢業後他做過很多工作，但沒有一份工

作令他感到稱心如意，所以過去幾年頻頻轉工。他沒有甚麼人生目標，也沒有計劃結婚和置業，只要賺夠錢生活和玩樂便可以。現在這份工作他只會做到年尾，籌足旅費去歐洲旅行他便辭職。

亮刺刺的陽光爬到家明身上，他奮力與睡魔戰鬥，一邊打呵欠一邊離開被窩去上班。

事業／愛情

晚飯時丹尼斯告訴安娜下星期他要前往香港公幹和開會，無法出席她的生日派對。

聽到這個消息後安娜臉色一沉，放下手上的刀叉，雙手抱胸在賭氣。過去幾個月，因為工作忙碌，丹尼斯經常爽約，陪伴她的時間愈來愈少，現在又說無法與她慶祝生日，安娜因而感到非常不滿。

安娜命他編造一個藉口，婉拒這工作的安排。丹尼斯支支吾吾，左右為難，他不想傷害女朋友，但又不能得罪上司，所以不知如何是好。安娜見他不肯讓步，也不想多費唇舌與他爭拗，拎起手袋氣沖沖離開餐廳。

丹尼斯走到街上時安娜已經登上計程車，計程車高速行駛，瞬間便消失在前面的拐彎處。他不斷致電安娜，但她一直不願意接聽他的電話。

回到家丹尼斯在客廳裡踅來踅去，左思右想後還是決定依照計劃去香港公幹。原因是近年經濟不景，很多公司裁員，他不想違逆上司的旨意，給上司藉口在營業額下降時解僱他。

打包 / 不打包

飛機順利降落在跑道上，乘客魚貫離開機艙。

很多人趁着假期出外旅遊，假期最後一天，回港的旅客特別多，機艙服務員忙得不可開交。

所有乘客離開後，婉晴的兩位同事開始「打包」，把乘客座位上的小食、水果和報章放進隨身行李中，其中一位同事更把乘客未喝完的酒帶走。

婉晴一向不貪便宜，加上公司規定員工只可以帶走未吃完的空服人員餐，所以她從來沒有拿走機上的物品。但現在看着他們「打包」，她也生起了貪念。

為了增加兩名兒子入讀名校的機會，早前一家搬了去名校林立的九龍塘居住。生活狀況改變，開支大了，平日她不得不與丈夫省吃儉用。為了省錢，她也開始覬覦眼前的免費食物。

心裡一把聲音警告她不要這樣做，因為這樣做等同偷竊。另一把聲音卻不停慫恿她犯罪，認為這是行業裡的慣例，根本無人在乎這些剩餘物資。婉晴的內心不斷掙扎，最後她敵不過誘惑，順手把座位上的三明治放進手袋中。

答案 A / 答案 B / 答案 C / 答案 D

問答遊戲節目快要接近尾聲，餘下的兩位參

賽者得分相同，誰答對最後一條問題，誰便能奪得一百萬円獎金。

主持人問：「日本在哪年發射首顆地球同步氣象衛星？」

答案A：一九六九年

答案B：一九七三年

答案C：一九七七年

答案D：一九八一年

片山雖然不肯定問題的答案，仍然以最快速度按下搶答機上的按鈕，但他的對手卻比他快一步奪得回答權。片山以為一百萬円獎金必定落入他人手裡，殊不知他的對手並沒有答對問題，還為他剔除了一個錯誤答案！

答案D不是正確答案，那麼餘下只有三個選擇。片山閉上眼睛，努力思考，他清楚記得一九七〇年日本才成功發射第一顆人造衛星，日本沒有可能在這年之前發射氣象衛星，所以答案不是B便是C。

片山在記憶中尋找不到有用的線索，最後惟有憑直覺作出選擇。在主持人再三催促下，他選了答案 C。

劉師傅 / 瞿師傅

二〇一二年屋宇署開始實施「強制驗窗計劃」，規定樓齡達十年或以上的樓宇的業主，需要找合資格人士檢查窗戶，不符合安全標準的窗戶需要立即維修。鴻圖工程公司的生意因而變得興旺，修葺工程應接不暇。

家明在親友介紹下加入了鴻圖工程公司。今天他和同事來到尖沙咀工作，他們正前往一座商業大樓和一幢酒店檢驗鋁窗。團隊分成兩組，由劉師傅和瞿師傅帶領，家明選擇跟隨瞿師傅去酒店驗窗，原因是他想避開劉師傅。

劉師傅是虔誠天主教徒，工作時不停向人傳教，絮絮叨叨複述發生在自己身上的神跡（他一直認為是天主幫助他成功戒煙）。因為劉師傅經驗豐富，加上樂於傳授技藝，學徒都從他身上學到很多東西，所以大家都不介意他在工作時推銷自己的信仰。但家明真的受不了他的作風，所以平日都盡量遠離他。

宿醉的症狀已慢慢消退，抵達酒店時家明的頭腦不再渾噩，只是口腔裡仍然殘留着陣陣酒氣。

1501 / 1507

丹尼斯一直惦念着安娜，抵達香港後他又嘗試聯絡她，但她同樣不接聽他的電話。他打算返回美國後再修補這段關係，怒氣平息安娜便會原諒他。

來到尖沙咀下榻的酒店，丹尼斯住進十五樓的一間客房。他拉開窗簾，眼前都是密密匝匝的樓宇，這景象並不如旅遊網站上介紹香港的照片般迷人和吸引，他又一次被這些網站的宣傳圖文欺騙了！

拉上窗簾，他在迷你酒吧取出一些飲料，一邊自斟自飲一邊整理明天開會的文件。工作了片刻後，空調突然故障，房裡熱烘烘，他立即致電酒店大堂的職員，要求他們盡快派人來修理。

檢查後技工認為短時間內未必能夠修理好空調系統，經理向丹尼斯不斷致歉，並安排他入住另一客房。

同層有兩間客房空出，1501 號房同樣面對高樓大廈，1507 號房則面對着公園和馬路，視野比較遼闊，丹尼斯想也不想便選擇了 1507 號房。

因禍得福，丹尼斯很滿意這間客房，現在眼前一片綠油油，彷彿還能聽見公園的雀鳥在啼鳴！

偷竊／不偷竊

飛機正從香港飛往韓國。

途中一名青年的耳機傳出吵耳的音樂，騷擾鄰座的中年漢，雖然青年已經道歉，但中年漢仍然不肯罷休，繼續厲聲訓斥青年。婉晴前去調停，希望平息這場糾紛，但中年漢不但不理睬她，還粗暴地推了她一把。婉晴站不穩，向後趔趄了兩步，撞到一張椅子上。其他機艙服務員見狀後立即趕來援救，勸喻和警告後中年漢才肯安靜下來。

婉晴的腰部撞瘀了，隱隱作痛。她感到很委屈，雙眼汪着淚，若不是為了保住工作，她必定痛罵那男人。

幾小時後飛機降落仁川國際機場。乘客離開後，婉晴再次偷偷取走乘客未吃過的食物和礦泉水。經過鬧事的男人的座位時，她發現一支金筆遺留在座位的夾縫中。婉晴想起剛才的衝突，仍然一肚子憤懣。她猶豫了半晌，趁無人留意時，不顧後果，悄悄把金筆掖藏在口袋裡。

香港／泰國

片山不時回想那輝煌的一刻。當他答對問題，主持人宣佈他贏了比賽後，現場立即掌聲雷動，七彩的氣球和紙屑從天而降，飄落到他頭上。他擎起那張巨型支票，不停歡呼，無數人透過電視直播看到他獲得最終勝利……

勝出比賽為他贏得一百萬円獎金。從鐵路公司退休後他和妻子從大阪搬回長野縣的老家居住，他們決定拿出部分獎金修繕舊居，餘下的錢美奈子打算用來旅遊。

二人已多年沒有出國旅行。平日謀生和養育孩子已令他們忙個不停，根本沒有興致和餘暇周遊列國，片山也一直認為攜着一袋袋行李東奔西跑是一件苦事，所以他們已經很久沒有離開過日本。

現在片山已退休，擁有大量時間，子女亦長大成人，毋須二人照顧，加上得到一筆橫財，自然想花錢去享樂。

美奈子計劃去泰國或香港旅行，但拿不定主意。片山提議去香港遊玩幾天，因為他一直都想乘坐香港的高鐵。

1501 / 1507

為免打擾酒店的旅客，驗窗團隊會首先檢驗沒有旅客入住的房間的鋁窗。

穿藍色制服的團隊在酒店各層遊走。瞿師傅指手劃腳，發號施令，給各人分派工作。瞿師傅身材魁偉，少言寡語，經常蹙着兩道濃眉，不怒而威，使人畏懼。但家明認為他始終比劉師傅好，至少他不會整日把天主的名字掛在嘴邊，不停游說人加入教會。

家明和拍檔進入一間間客房，檢查鋁窗的玻璃嵌板有沒有破裂、窗框有沒有變形、窗鉸有沒有生鏽、螺絲和鉚釘有沒有鬆脫、防水膠邊有沒有老化導致滲水……若果窗戶破損嚴重，他們便會修理和更換。

重複的作業異常乏味，家明感到很疲累，好不容易才捱到午飯時間。在快餐店填飽肚子，休歇了一會後，他們又回到酒店繼續工作。

驗窗團隊來到十五樓，1501 號房和 1507 號房的住客剛剛退房，他們把握機會入內驗窗，家明和拍檔隨意步進了 1507 號房……

向左走 / 向右走

在酒店吃完午飯後，丹尼斯乘天星小輪去灣仔開會。

今天維多利亞港一片霧濛濛，濃厚的雲層不斷積壓下來，對岸的樓宇都被雲霧吞噬，只有風拂過時，驅散了霧氣，才能從氤氳中瞥見對岸的建築。

小輪很快便到達灣仔，上岸後丹尼斯依照地

圖指示，在大街小巷中左穿右插，幾經辛苦才找到開會的大樓。途中他經過一間首飾店，櫥窗展示的胸針很漂亮，他打算開會後折返首飾店，挑選一枚胸針，送給安娜作為賠罪禮物。

會議很冗長和沉悶。有人發言時拖拖拉拉，一直無法說出重點。有人因為產品開發出了亂子，互相推卸責任，浪費了不少時間。交待未來的發展項目時，又有人沒完沒了提意見，使會議延長了兩個小時才結束！

離開灣仔前丹尼斯折返首飾店買胸針，但香港的街道看似一模一樣，他已忘記了店舖的位置。他站在一間便利店前，不知向左走還是向右走，他記起褲袋裡有幾枚硬幣，於是以擲硬幣的結果來決定朝哪個方向走……

潔面乳 / 洗頭水 / 口紅 / 牙刷

婉晴在便利店裡左觀右察，留意着店員和顧

客的動靜。一名店員把各式罐裝飲品放進冰箱，另一名店員在櫃台偷偷玩手機，店內唯一的顧客正利用微波爐加熱食物。

取走乘客的金筆後，婉晴一直擔心有一天會東窗事發。但日子一天天過去，失主沒有前來尋找失物，也沒有人發現她偷筆的事，所以不久她便放下心頭大石，膽子亦變得愈來愈大。

她掃視貨架上的貨品。眼前的貨品林林總總，令人眼花撩亂，潔面乳、洗頭水、口紅、牙刷……一列口紅觸手可及，她選了一枝盒上印有心形圖案的口紅，準備放進手袋中。這時整理飲品的店員完成工作，突然轉身望住她，她心裡發怵，以為他已經識破她的意圖，即將上前逮住她。但原來他甚麼也沒有看見，經過她身邊時還對她點頭微笑。

店員走過後，婉晴隨即把口紅藏在衣袖裡，然後一溜煙離開便利店。

她狂奔到附近的公廁，躲進廁格中。確定沒

有人追捕她後，她拿出「戰利品」，心裡漾滿成功感，生活上面對的種種壓力亦好像洩洪般得到排解。

上海菜 / 粵菜

來到香港，片山和美奈子住進灣仔一間酒店。透過客房的落地玻璃，他們可以看到在維港上穿梭來往的小輪和尖沙咀的景色。

在酒店休息了一晚後他們便馬不停蹄出外觀光，短短數天便遊覽了不少地方：淺水灣、大嶼山、蘭桂坊……他們揹着背包到處走，體驗這地的文化。

今天二人來到旺角購物。適逢假日，遊人特別多，駢肩雜遝，熙熙攘攘，如同繁鬧的東京。

在女人街閒逛時片山又見到穿黑色西裝的男人。濡滯機場等候過關時他見過他，現在他又在這裡出現。片山想他們的相遇可能只是巧合，來香港的遊客都必定會到訪女人街這些著名景點，所以在這裡再遇其實也不是奇怪的事。

購物後他們在附近的球場歇腳，美奈子從背包掏出米芝蓮指南，準備找地方吃晚餐。今晚片山想吃上海菜或粵菜，最後二人在指南上挑選了一間位於尖沙咀的上海菜館。

赴約 / 不赴約

在 1507 號房檢驗鋁窗時，家明接到阿強的來電，阿強邀他下班後去打桌球。家明不知應否赴約，他說先考慮一下，稍後再回覆他。

昨晚只睡了三四個小時，睡眠不足，整日都很疲倦，家明只想下班後立即回家睡覺。他打算婉拒阿強的邀請，但聯絡阿強時他又改變主意，因為他突然想起上次打桌球時阿強贏了錢的得意模樣。

上次打球時他連贏幾局，家明不但輸了錢，

還被他不停譏誚。他不斷打擊他的自信心，士氣低落，自然愈打愈差。桌球不斷入袋時阿強自吹自擂，自詡球技媲美傅家俊，狂妄自大，令人生厭。想起他家明便咬牙切齒，家明一直想找機會報仇，現在機會終於來了，今晚他一定要擊敗他，讓他嚐嚐挫敗的滋味！

只要想到即將打敗阿強，家明便精神抖擻，他的鬥志被燃起，忘了疲累，整個人都充滿力量！

米奇老鼠／小熊維尼／白雪公主／巴斯光年／唐老鴨

昨日丹尼斯依照擲硬幣的結果朝右方走，但走了半天都無法尋回那間首飾店，他懶得回頭走，於是直接乘小輪回酒店休息。

今晚他便離開香港，上機前他參觀了太空館和清真寺，之後在清真寺前面的購物大道買禮物送給安娜。這條購物大道被稱為香港的香榭麗舍大道，整條街聚滿商店，寬廣的行人道上屹立着一列榕樹和一座雙手抱拳的雕塑。

丹尼斯逛進一間首飾店，這間首飾店專賣水晶製品，所有產品都以水晶製成或嵌上了各類水晶。除了首飾，這裡還出售手錶、手機保護殼、圓珠筆、鑰匙扣、名片套和水晶擺設。

丹尼斯原本想買胸針，但走了一圈後卻看中了一些迪士尼卡通人物的擺設。安娜一向喜歡迪士尼動畫，收到這份禮物她一定很高興。

玻璃櫃裡的卡通人物通透晶亮，造型趣致。他左挑右選，最後在店員建議下買了小熊維尼的水晶擺設。

治療／不治療

抽屜裡放滿文具、化妝品和餐具，這些物品全是婉晴從商店偷回來的。

偷竊已經成為習慣，她無法遏止這份衝動，偷竊的慾望異常強烈，令她心癢難熬和坐立不安，只有慾求達成，她的內心才能平靜下來。縱使偷竊後覺得非常內疚，但過了一段日子後，當內疚感消退，她又故態復萌。

婉晴知道自己需要接受治療，她上網找心理醫生，記下了兩位醫生的電話號碼，但她一直沒有聯絡他們。

她搞不清是甚麼原因令她卻步，或許她不願意躺在沙發上赤裸裸地向陌生人訴說內心的秘密、或許她擔心求醫時被熟人碰見、或許她認為透過心理分析根本無法幫助她戒除壞習慣、又或許她根本不想被治好，因為她的內心一直渴望偷竊時產生的那份刺激感和快感……

米奇老鼠／小熊維尼／白雪公主／巴斯光年／唐老鴨

巴士駛到尖沙咀，片山和美奈子在九龍公園附近下車，他們打算閒蕩一會才去吃晚飯。

來到栢麗大道，他們在一座雕塑旁留影。一雙巨型的手擺出拱手的姿勢，美奈子愛看香港功夫電影，知道舊日中國人見面時都是這樣向對方致意和問候的，相信雕塑家想透過這作品傳達以禮待人的訊息。

他倆在長長的購物大道上徜徉。進入一間首飾店參觀時美奈子看見一些迪士尼卡通人物的水晶擺設，她想買一座送給孫女，但不知道她喜歡甚麼卡通人物，於是拍下照片傳給女兒，由孫女作決定。

孫女最後選擇了小熊維尼的擺設，但當他們折返首飾店時，唯一的小熊維尼擺設已經售出。幸好店員説附近分店還有存貨，分店職員會立即把貨物送來給他們。

運送需要一點時間，片山和美奈子走到店外的木椅上休息和等候。

檢驗 / 不檢驗

家明決定赴約後，快馬加鞭檢查，希望下班前能夠完成手上的工作。

他一邊幹活一邊想着今晚的對決，在心裡擬定作戰策略，尋找擊敗對手的方法。他開始無心工作，心不在焉，不停看錶，只想盡快完工離開這裡。

拍檔已經檢查完畢，轉頭問家明那邊的工作進度。事實上家明還有一扇窗未檢驗，但今日巡查多間客房，房內的窗的狀況都良好，所以他推斷這扇窗應該也沒有損壞（酒店兩年前才翻新，窗子都是簇新的）。家明不想加班工作，錯過今夜的球局，所以他向拍檔撒謊，訛稱全部窗戶已經通過檢查。

二人收拾工具離開，離開時他們碰見一名外國人。外國人原本住在對面的客房，不知甚麼原因，需要換房。房務員正攜着他的行李，引領他進入 1507 號房……

吸煙 / 不吸煙

收拾行李時丹尼斯收到安娜傳來的分手短訊，幾行文字清楚交待了她的意向，並強調她不會回心轉意，叫丹尼斯以後不要再找她。

丹尼斯原本冀望重聚後二人會和好如初，但現在美夢成了泡影。他呆望着準備送給安娜的水晶擺設，想起她的一顰一笑、金燦燦的長髮、閃亮的藍眼睛、編貝般的牙齒、腴潤的肌膚……

他灰溜溜的一頭栽到床上，順手拿起搖控器打開電視。電視正播放一齣西部片，男主角槍殺歹角後，好像為了慶祝勝利，點了一根香煙在吞雲吐霧。看着男主角抽煙，丹尼斯也想抽煙。住宿期間他一直遵守酒店禁令，沒有在酒店範圍內吸煙。但現在他的情緒真的很低落，他極需要一點慰藉，他決定不再理會甚麼規則，轉身從行李中掏出香煙和火機。

為免被人發現他違規，他打開窗後才吸煙。他嘗試打開其中一扇窗，但窗子卡住了，他用力一推，整個窗框突然飛脫，從十五樓直墮下去！

逃走 / 被捕

兩名兒子終日喧嘩叫鬧，把家弄得天翻地覆，婉晴感到很煩厭，她趁丈夫休假，有人看管他們，暫時離家避靜。

婉晴在街上漫無目的閒晃，走累了便坐下來休息。她的身旁坐着一對日籍夫婦，婉晴略懂日語，從二人對話中得知他們是遊客。他們的臉曬得紅撲撲，相信這幾天已經走了不少路。

談了一會男人開始打盹。婉晴瞥見他的手機放在座椅上，她好像身不由己，慢慢把手移向手機。手機拿到手後她若無其事離開，她以為這一次又能成功脫身，她沒有想到原來女人一直留意她的舉動！

事敗後婉晴拼命逃跑，男人被喚醒，追上去想擒住她。他們越過馬路，婉晴渾身汗水，身心都極疲累。她已泥足深陷，她不想再沉溺下去，竟然生起了自毀念頭！只要被捕，受到懲戒，她便不敢再犯，這場惡夢便會完結……

婉晴放棄逃走，在一間酒店前停下來，這時身後突然傳來一聲巨響！

追捕／放生

片山再次見到穿黑色西裝的男人，他正坐在階梯上閱報，不時朝他的方向張望。他們真是偶然相遇？抑或男人一直跟蹤他？片山開始胡思亂想，揣測男人的身份和動機，但始終理不出頭緒。

在九龍遊覽了半天，消耗了不少體力，片山有點累，於是合上眼睛打瞌睡。剛進入夢鄉時他聽到美奈子大叫，他的手機被鄰座的女人偷走！片山本能地站起來抓賊。片山追着她，女賊年紀輕，跑得比他快，二人始終保持一段距離。橫過馬路後，片山咻咻的喘氣，心想這舊手機根本不值錢，毋須冒生命危險奪回它（女賊身上可能藏有武器，他也可能因為心臟病發作而猝死）。但想到手機裡存有這幾天旅行時拍下的照片，他捨不得失去，最後還是咬緊牙關追上去。

突然，女人不知甚麼原因，不再逃跑。片山跟着她放慢腳步，在她身後停下來。正當他準備上前捉住她時，一扇窗子從天而降，砸落他的頭上……

「一切都是你的安排，對不對？」我再次問穿黑色西裝的男人。

「這是意外，不是謀殺，不要再胡亂猜測。」男人嘗試説服我。

「世事哪有如此湊巧？我神差鬼使來到這個城市，剛巧在發生意外的一刻經過這裡……」

「人生裡每個決定都是你作主的，是你選擇來這裡旅遊，是你選擇來這區吃晚飯，是你隨意把手機放在椅上，令賊人垂涎，你要為自己的行為負責。」

「自由意志會不會只是幻象？表面上我們好像可以任意選擇，以為一切都受自己控制，但其實每個人的行動都早已編寫在劇本裡。思前想後，挑來揀去，最後我們還是會作出預設的決定……」

「自由意志並不是幻象，你不相信我的話，我也沒有辦法。」男人的話不知是真是假。

「是不是所有人都會見到你？」我改變話題，不再追問下去。

「不是，只有快死和死去的人才會見到

我……嗯！原來時候已經不早，我們也是時候上路。」男人看看手錶，轉頭對我說。

夕陽開始西下，漫天金煌煌，眼前的城市好像被餘暉鍍上了一層黃金。

警方搜證完畢，帶走掉下來的窗子。美奈子在罩住我的屍體的帳篷旁嗚嗚的哭個不停，一直不願意離開，最後警員攙扶她上警車，前往警署錄取口供。人群陸續散去，行人和汽車繼續川流不息的在城市的脈絡裡流動……

申請者必須年滿十八歲，樂於與人分享自身的故事和感悟，擁有獨特經歷者更佳。」

放手

升上大學後媽媽承諾不會再干涉雋毅的生活，但暗裡卻經常偷看他的Facebook，最近媽媽發現幾張他與同系的一位女孩的親密合照，懷疑兒子正在拍拖。

媽媽不敢向雋毅求證這件事，以免他又投訴她侵犯他的隱私，但種種跡象都顯示他正在談戀愛。他無緣無故傻笑、風騷地哼着歌兒、走路飄飄然像在雲端漫步、外出前必定塗上古龍水，又不時查看手機上的訊息。他比以前樂觀，縱使中美貿易戰拖垮全球經濟，仍對未來充滿希望。他更一反常態，二十年來首次收拾好床鋪才上學（照顧他多年的菲傭被這景象嚇得目瞪口呆）！

因為怕兒子吃虧，媽媽對這女孩展開深入調查。媽媽人脈廣，認識不少家長，很快便查到不少資料，更找來她中學的校刊。雖然不是就讀名校，但她的中學文憑試的成績相當不錯。她曾經是合唱團成員，亦是天文學會主席。至於家庭背景，只查到她生於小康之家，有一位哥哥，一家人住在黃大仙。雋毅的好友同樣考入香港大學，媽媽於是向他繼續打聽有關這個女孩的事，他說她經常留連圖書館，喜歡自拍（媽媽在她的Facebook上也看到很多selfie），常與雋毅走在一起，但不清楚二人的關係。

媽媽告訴爸爸一切。爸爸認為雋毅已是大學生，墮入愛河屬正常事，毋須大驚小怪。與異性約會總好過終日躲在家裡打機，況且戀愛不一定影響學業，處理得宜還能產生互相勉勵的作用。爸爸接着自吹自擂，說兒子遺傳了他的優良基因，長得俊俏，很容易吸引異性，又自誇年青時有不少女孩向他示愛。

雖然爸爸不反對雋毅拍拖，但媽媽仍然感到憂心。媽媽從小苦心栽培雋毅，為他的未來鋪路。剛滿三歲他便開始學習多種語言備戰小學面試、課餘時間他報讀多個興趣班增強競爭力、為了製造履歷而不斷參加各樣比賽、為入名校全家遷往名校區居住、小學時已聘請名師為他補習、送禮物給老師拉關係、預先報讀外國大學設下安全網……幾經辛苦雋毅終於考入港大法律系，若果這時因為一個女孩而荒廢學業，豈不是前功盡棄！

老實說媽媽不希望他們走在一起。以雋毅的條件，將來還有很多機會結識異性，所以根本不用着急。媽媽認為這女孩是一塊絆腳石，阻礙雋毅邁向美好的將來，於是對她生出恨意。媽媽無情地對她評頭論足，在爸爸面前批評她的鼻太扁腿太粗，又嫌她的家境不富裕……

媽媽以為兒子只是貪新鮮才接近這女孩，二人的感情遲早轉淡（畢竟多年就讀男校，很少機會接觸異性，因此現在很容易對身邊的女孩產生好感）。但 Facebook 上的照片卻告訴媽媽他們比之前更加親密，他們不但在合照時拉手，更摟摟抱抱，互吻臉頰，看來已向外界公開這段戀情。

媽媽更加擔心，害怕電視劇的情節會在現實裡發生。擁有大好前程的青年抵抗不住誘惑，與女友發生關係，令她未婚懷孕，因而放棄學業，之後只能從事基層工作，下半生在「劏房」裡度過……媽媽不知如何是好，應該想辦法拆散他們？抑或直接勸勸兒子？

某日，雋毅又約了這女孩見面，媽媽決定跟蹤他，暗中監視兒子。

兩部計程車先後來到銅鑼灣一間餐廳。媽媽與雋毅保持一段距離，小心翼翼跟在他背後。進入餐廳後她閃身坐到角落處，由於有柱子作掩護，雋毅不容易發現她。

終於親眼見到這女孩，她是如此平凡，不明白兒子為何會喜歡她。點菜後二人開始交談，由於距離太遠，媽媽聽不到他們談話的內容，只見雋毅無論說甚麼話，女孩都笑得合不攏嘴。他們談個不停，食物送來後也無意拿起碗筷進食，媽媽從未見過兒子如此快樂和幸福（晚餐時雋毅大部分時間保持沉默，很少與父母交流）。

逗留兩個小時後，二人手牽手離開餐廳。步出餐廳時女孩發現遺下了手機，雋毅掉頭替她取回電話，這時剛巧碰上緊隨在他們背後的媽媽！雋毅吃了一驚，立即拿起電話，然後奔逃出餐廳。媽媽走到街上時二人已經越過馬路，一輛輛汽車在面前疾駛而過，媽媽惟有眼睜睜看着他們離去。

看着兒子的背影，媽媽憶起他小時候學走路的情景。因為擔心他跌倒，媽媽一直緊緊地捉住他的手。練習了一段日子後她才肯鬆開手，讓他自己走路。沒有了依仗，雋毅一時間失去平衡，差點跌倒，但他很快便穩住身體，並成功繼續踏步。他一步步向前走，頭也不回，離媽媽愈來愈遠……

圖書館現正招募「真人圖書」，歡迎市民加入「真人圖書」的行列。」

申請者必須年滿十八歲，樂於與人分享自身的故事和感悟，擁有獨特經歷者更佳。」

沒有臉孔的都市

睡在硬梆梆的沙發上，每晚都難以入眠，好不容易才進入夢鄉，熟睡不久又被鬧鐘吵醒。雖然身體在抗議，但我還是努力邁開步伐，進入浴室盥洗。刷牙時面對一張赤裸裸的面孔，可能不習慣見到外露的五官，以致搞不清鏡中人的身份。我仔細修飾這張陌生的面孔，用刮鬍刀刮鬍子，用髮蠟整理頭髮。梳洗後憔悴的面容稍為煥發起來，我對鏡勉強擠出一個笑容，嘗試給逆境中的自己一點鼓勵。

世界一直被陰霾籠罩，窗外的城市灰溜溜。打開電視，各頻道正發佈同樣的消息：美國確診人數 23,371,130 ，死亡人數 388,785……印度確診人數 10,527,683，死亡人數 151,918……巴西確診人數 8,324,294，死亡人數 207,095……全球的新聞報道員好像很有默契地一同散播恐懼，讓恐懼與病毒攜手蠶食人的身心。我不願再聆聽這些令人焦慮的訊息，於是按下了關上電視的按鈕。

出門前我吞下兩顆聲稱可以增強免疫力的維他命丸，然後戴上防毒面具和乳膠手套，在脖子上掛上迷你空氣淨化器，再把搓手液和平安符放進背包。

妻子仍在卧室睡覺。由於擔心感染病毒，她害怕與人接觸，已經差不多一個月沒有外出。她終日戴着口罩，不停清潔家居，企圖消滅所有病菌。死亡數字不斷飆升，令她惴惴不安，她變得神經兮兮，在惶恐中度日。我嘗試安撫她，但徒勞無功，她一直走不出死胡同，情況令人揪心。

我凝視妻子的背影，輕輕關上卧室的門，感到與她的距離愈來愈遠。

我在走廊上碰見早前才搬來這幢大廈居住的

新鄰居，她如常戴着漁夫帽、墨鏡和口罩。因為頭部完全被遮蓋，所以我從未見過這個獨居女人的樣貌。她並不健談，身份背景不明，猶如一個謎團。她比我早一步走到升降機前，用鑰匙代替手指，按下升降機的按鈕。

進入升降機，我倆站得遠遠的，互相保持一定距離。升降機的門不停開關，迎接各樓層的住客，狹仄的空間很快便擠滿人。肢體不可避免碰觸，隨時沾上別人的體液和汗液，氣氛開始變得緊張，雖然大家都遮上口鼻，但仍然屏住呼吸，避免吸入對方的飛沫。一名老婦手執念珠唸唸有詞，似在祈求神明保佑，希望觀音菩薩如來佛祖能助她盡快脱離險境。

漫長的等待終於結束，升降機終於到達地下，乘客如同逃離獸籠的動物，急急向不同方向四散。

街上的人只剩下半張臉，愁容都被各種保護裝備遮住：棉布口罩、外科口罩、防護面罩、飛虎隊頭套、毛巾、護目鏡……失去個人特徵，每個人都很相似，活在死亡陰影下，一雙雙眼睛流露出疲憊和絕望的眼神。人們懷着防禦心態，小心翼翼前行，一邊閃避路人，一邊眼觀六路，留意身邊有沒有異樣的人。

一個男人搖搖晃晃橫過馬路，他面如死灰，橫過馬路後軟塌塌的倚在燈柱上，不停哼哼唧唧，最後彎身向着垃圾桶嘔吐。由於他極可能是帶菌者，所以無人願意對他伸出援手，途人飛快地走過他身邊，任由他自生自滅。

來到巴士站，看不見那位跛腳的大叔。平日我每天都會遇到他，無論晴天雨天他都準時出現在巴士站，但現在已經有一段時間沒有見過他，他會不會感染了病毒，被困隔離營？抑或已經成為疫情下的其中一名犧牲者？

巴士到站，司機斜睨着登車的乘客，看看他們有沒有遵從法例佩戴口罩。我走到上層，盡量遠離其他乘客，在最後一排座位上坐下來。

實行彈性上班時間，加上無限期停課（導致文盲率再次上升），早上乘坐交通工具的人少了，巴士上只有零零落落的乘客。

娛樂場所強制關閉，進行社交活動被視為妄顧公眾健康的罪行，假日無人外出消費，商店和餐廳沒有生意，紛紛結束營業，連大型品牌的時裝店都在劫難逃，街上滿是空置的店舖。原本生氣勃勃的社區變得蕭條，各行業的失業率持續上升，球場和天橋下明顯多了無家可歸的露宿者。

巴士駛過一個檢疫中心。檢疫中心外守衛森嚴，警員二十四小時把關，以防有人逃走。大廈裡住了曾與確診者有接觸的人士，隔離期間他們不能離開居住單位，徹底與世隔絕，只能透過手機與外界溝通。有些被隔離人士已經醒來，孤魂野鬼般佇立窗前，看街景排解鬱悶。

一所診所外聚滿人，街坊正排隊做病毒檢測。期間有人插隊，引起群眾不滿，一圈人在互罵和打鬧，亂成一團。可能發現有院友染疫，一間護老院的職員正協助住院人士撤離護老院，坐輪椅的老人、拄拐杖的老人，在職員護送和攙扶下登上小巴，準備前往隔離中心接受隔離。

由於臉孔被遮住，無法使用人臉辨識技術去解鎖，所以我一早便關閉了手機上的這項功能。打開手機，網上充斥着有關疫情的最新資訊，有些看似千真萬確，有些毫無事實根據，有些則是一派胡言。專家說最新研究證實變種病毒可以經由空氣傳播、科學家說疫苗已經成功研製快將大量生產、陰謀論者說病毒是從實驗室洩漏出來、宗教人士說當前災難是一場天譴、某國總統說打消毒劑可以殺死病毒、反政府分子說警方將會使用實彈驅散違法聚集人士……

我在市中心下車。一幢幢摩天大樓張開嘴巴，把一列列上班族吞進胃裡。每幢大樓都設置了檢疫站，所有人都需要經過體溫檢測才能進入室內。

地上畫了一個個相距一米的方格，我站到其

中一個方格裡，排隊量度體溫。把全身包裹起來只露出眼睛的檢疫員齊刷刷地排列在檢疫站，他們如臨大敵，利用紅外線體溫檢測儀和探熱器去追捕隱形殺手。

我戰戰兢兢走過體溫探測器，這時警報系統突然鳴響！我被嚇得手足無措，以為自己已不幸「中招」，但原來觸動警報器的人是身旁滿頭大汗的男人。眾人的目光釘在他身上，恐慌情緒開始擴散，醫護人員立即採取行動，上前逮住他，把不停吵鬧的男人帶走（男人認為儀器失靈才誤讀他的體溫）。

回到公司，人來人往，互相打招呼，大家如同患上面容失認症，未必能認出對方。只憑一對眼睛辨認身份，很多時會認錯人，產生誤會和尷尬。現在我們每天都在進行一場辨認身份的遊戲，憑別人的打扮、聲音、步姿、小動作和體型等資料去認人。五官被遮住，無法從臉上察覺到喜怒哀樂，溝通比以往困難，不明言實説根本不會知道別人真正的心意。蓋上口鼻，說話時亦要拉高嗓門，否則對方無法聽清楚你說甚麼。

告示板上貼出守則，提醒員工保持社交距離、勤洗手、戴口罩、禁止擁抱和親熱……

原本開放式的辦公室，現在改建成壁壘分明的獨立工作間，辦公桌之間加上隔板，蜂巢般的結構，隔開每個人，杜絕不必要的交流。走道亦改成單向，一出一入，減少員工迎面接觸的機會。

坐下來後我脫下面罩和手套，抹去臉上的汗水，然後拿出搓手液潔手。消毒劑的氣味撲面而來，地板光可鑒人，桌面一塵不染，可能週末剛進行過徹底清潔。吃了兩塊餅乾後，我重新戴上面罩和手套，開始展開一天的工作。

敲打鍵盤的聲音此起彼落，打印機、影印機和傳真機嘰嘰喳喳地運作，辦公室裡的人忙個不停。新措施建議減少實體文件傳遞，我於是把工作資料經電郵或短訊發放給同事。大部分客戶都不願意面對面洽談生意，我惟有利用視像會議軟件與客人開會，達成協議後我制定合約，然後傳送給對方簽署……

平日大家喜歡圍簇在茶水間，三三兩兩談八卦，但現在公司實施「禁聚令」，已經看不見有人在那裡留連。

忙了一個早上，終於來到午飯時間，員工根據時間表的安排，輪流外出吃飯。

前陣子附近開了一間全自動化餐廳，很受市民歡迎，經常座無虛席，今天我決定碰碰運氣，看看那裡有沒有空位。

抵達餐廳時剛巧有幾位顧客離開，侍者引領我到一個兩邊都加設了透明膠板的獨立座位。之後，她遞給我一個 QR 碼，說用手機掃描這碼便能看到菜單。我依照她的指示利用手機點餐，選擇食物後便按下「確認」的按鈕。

我環顧四周，發現坐了二三十位食客的餐廳裡只有兩位侍者。這裡沒有人替你斟茶倒水和擺放餐具，水壺、水杯、筷子和刀叉一早已放在桌上和抽屜裡，顧客可以隨意使用。食物不經人手傳遞，如同迴轉壽司店，一碟碟飯菜經由輸送帶運送到食客面前。聽聞在廚房裡炒菜的不是廚師，而是一雙雙依照指令操作的機械臂！

不久，食物傳輸到我面前。吃了兩口後我覺得味道不錯，若果食物真的由機械人烹調，它的廚藝真能媲美人類廚師！

餐廳外開始出現人龍，吃完飯我便馬上離開。由於病毒可經由鈔票傳播，所以餐廳只接受電子支付方式付賬，這樣做不但免去找續帶來的麻煩，還能保障食客和職員的安全。

在這裡吃飯，基本上毋須與人接觸，能減低感染病毒的風險。經過親身體驗，我終於明白為何這間餐廳每天都賓客如雲。

返回公司，看看手錶，還未用盡一小時的午飯時間，可以休息一會才開工。有些同事不想冒險外出，於是留在辦公室吃外賣。不需要暴露樣貌，同事 C 懶得化妝，同事 D 也幾天沒有剃鬍子。同事H滿臉青春痘，戴上口罩掩飾自身缺憾後，人也變得自信和健談。相反，標緻的G，因為失去炫耀美貌的機會，每天惟有戴上不同顏色的口罩（與衣裙顏色完美搭配），以衣飾突出自己，吸引人注意。同事J不再關心股市起落，一邊吃飯一邊觀看各國最新確診數字的升跌。同事P繼續戴上黃色口罩彰顯他的政治立場……

人們繼續敲打鍵盤，打印機、影印機和傳真機繼續忙碌地運作。還有兩個小時才下班，老闆卻突然下令緊急疏散！樓上的建築公司證實有多名職員感染致命病毒，病毒可能通過通風系統和水渠散播，人命攸關，所有人需要即時離開。老闆宣佈由明天開始員工留家工作，我們趕快把文件儲存到雲端，然後一窩蜂離開公司。

一隊防疫人員來到疫廈，他們揹着盛有消毒液的膠桶，拿着步槍式的噴管，準備到建築公司進行消毒。記者亦聞風而至，他們誤以為我們是這間建築公司的職員，攔住我們想做採訪，好不容易我們才掙脱他們的糾纏。

提早下班，我有更多時間去購物。我乘巴士回到住處，回家前進入一間超市購買食物和日用品。

顧客拎着鼓囊囊的購物袋離開超市。我推着購物車，拿出妻子給我的購物清單，準備購入清單上的貨品：即食麵、礦泉水、廁紙、濕紙巾、消毒噴霧……我在超市走了一圈，發現貨架空空落落，想不到這些貨品已經全部售罄！我突然記起網上流傳的謠言，説政府即將封關封城，以此策略對付新一波疫情。市民可能擔憂物資運送受阻，於是紛紛趕到超市搶購糧食和日用品。

我一無所獲，最後只能買到兩罐被人推到角落，罐身凹陷的午餐肉。

我跟着一名胖婦步出超市。她拿着兩條卷裝廁紙，慢吞吞橫過馬路。

這時，一名蒙面人不知從哪裡閃出來，一手奪去婦人手上其中一條卷裝廁紙。他箭般向前奔，瞬間便不知去向。婦人和途人被這事嚇呆，佇立街上全無反應，也沒有人前去追賊。婦人穿金戴銀，攜着皮手袋，賊人不搶這些值錢的東西，反而搶走一錢不值的廁紙！大家似乎都不相信這種事會在現實裡發生！

沒有生意，附近一些店舖索性關門不營業。多間銀行分行宣佈暫停服務，市民湧到提款機中心排隊提款和存款。除了排隊提款和存款，市民也排隊搶購口罩。雖然藥房明顯抬高了口罩價格，但人們仍然甘心情願付錢購買。

走了幾間雜貨店，情形與超市一樣，很多物資已被市民搶購一空，看來今天應該無法完成妻子給我的任務。

走累了，我坐在公園的長椅上歇息。這時一位朋友傳來一則問候短訊，詢問我和妻子的近況。原本我們每個星期都會相約出來打羽毛球，但現在球場關閉，大家已經兩個月沒有見面。我簡短地向他交待了近況，最後以「保重身體」作結，然後寄出回應。

送出短訊後我隨手打開相簿。相簿裡的照片記錄了近年的生活片段：新年時與親友聚餐、與妻子去外國旅行、與友人登山游泳、參加同事的生日派對……親友、妻子、朋友和同事面對鏡頭，紛紛展現燦爛笑容，一張張令人懷念的面孔，我何時才能重見他們的笑臉？

申請者必須年滿十八歲，樂於與人分享自身的故事和感悟，擁有獨特經歷者更佳。」

棋王

第一局

蘇菲亞把車停泊在一棵大樹後，她的目光像一條嗅覺靈敏的獵犬，緊隨在丈夫背後，跟着他進入那記者的寓所。

每次看見丈夫進入浴室時也攜着手機，蘇菲亞便覺得可疑。不需翻查他的通話紀錄，單憑女人的直覺，她已知道發生了甚麼事。丈夫一直以為她不知情，但大家共處大半生，居於同一屋簷下，怎也會找到一些蛛絲馬跡。她不想小孩在一個破碎家庭中成長，所以才不提出離婚。

當事業稍有成就，名和利沖昏他的頭腦，他

開始到處拈花惹草。他以開會、應酬和到外地公幹作藉口，不時夜歸或整個星期都不回家。雖然表面上仍關愛妻兒，但夫妻關係已轉淡，一道裂痕正在二人間擴張。

歲月逐步蠶食蘇菲亞的青春，她已經留不住昔日的美艷，她懷疑自己失去了吸引力，導致丈夫搞婚外情。她憎恨這些搶走她丈夫的年青女人，她緊抓着方向盤，把它想像成那記者的脖子，恨不得當場掐死她！

寓所二樓的窗簾被拉上，兩條人影像皮影戲的影偶在薄紗般的窗簾上晃動。想到丈夫正與另一個女人翻雲覆雨，蘇菲亞非常慍惱，現在她已經忍無可忍，她再顧不得兒子的將來，立下決心要與丈夫離婚！

第二局

蘇菲亞與李民俊的對弈來到第二回合，李民

俊在蘇菲亞對面坐下來，棋局正式開始。

李民俊在首局輸給默默無聞的蘇菲亞，原因是他低估了她的能力，但他已汲取教訓，並摸清蘇菲亞的棋路，他相信這局能反敗為勝。

桌上插着美國和南韓國旗，蘇菲亞代表美國出賽，李民俊代表南韓出賽。一個巨型螢幕懸掛在會場半空，觀眾能透過螢幕觀看整個比賽過程。

蘇菲亞執黑子先行，她從棋盅裡取出一枚棋子，然後置於棋盤上。李民俊猶豫了一會後，在黑子附近放下一枚白子。

雙方小心翼翼佈陣，蘇菲亞以「星小目」開局，李民俊以「二連星」的佈局迎戰。雖然面對圍棋九段高手，但蘇菲亞顯然毫無懼意（至今都沒有人知道她的段位），無論李民俊使出甚麼招數，蘇菲亞都冷靜應對。之後蘇菲亞擺出「高中國流」，但被李民俊化解了她的進攻……

黑白棋子在棋盤上縱橫交錯，兩位棋手在表演逞技，觀眾看得如痴如醉，這步棋叫觀眾捏了一把冷汗，那步棋令觀眾暗裡稱絕。

棋局中段李民俊氣勢洶洶，向蘇菲亞步步進逼，蘇菲亞開始招架不住，防守出現漏洞，令李民俊有機可乘。蘇菲亞陷入困境，明顯花較長時間琢磨下一步棋的走法。苦戰下她仍然無法扭轉劣勢，最後抵擋不住李民俊的猛攻，在第一百七十六手棄子投降。

第三局

艾倫的視線由電腦螢幕移向影印機旁的見習生，他瞄着她的短裙和高跟鞋，慾望即時被撩起。

那次與日本人談生意，首次去夜總會，在煙酒薰迷下，他糊裡糊塗與一位陪酒女郎上了酒店房。因為背叛了妻子，事後他覺得很內疚，但他認為這次只是逢場作戲，以後不會再犯同樣錯誤。殊不知經歷過這次一夜情後，他念念不忘那份刺激和興奮，更伺機再嚐禁果。

金錢隨時可以買到女人，不少女人亦向艾倫投懷送抱，他無法抗拒她們，每次都找到不同藉口去犯罪。受到良心責備，他多次誓言不會重蹈覆轍，但心魔始終無法降伏，無論如何努力他都戒不掉這個壞習慣，他像上癮般不能自控地與不同女人發生關係。

辦公桌上放着一幀全家福，艾倫看着照片上的妻子，過往的生活片段突然在腦海裡翻湧。他在大學結識妻子，之後與她相戀和結婚。婚後他們經濟拮据，只能住在老舊的房子和以單車代步。他不問世事，整天躲在地下室裡裝砌電腦，為了讓他專心做研究，妻子負責賺錢養家，那時家裡所有開支都由她一人承擔。多年來他們患難與共，妻子一直在背後默默支持他，沒有她的支持，他肯定沒有今天的成就。

他的內心又陷入交戰，他深愛妻子，但又抗拒不到年青肉體的誘惑，他埋怨自己意志力薄弱，總是不斷犯同一個錯誤……

第四局

在第二局勝出後，李民俊以為已經找到蘇菲亞的漏洞，怎料第三局又被擊敗，比賽採取五局三勝制，這局若果再輸便完蛋。

蘇菲亞之前是不是刻意讓他得勝？目的是評估他的水平，抑或她竟然明白驕兵必敗的道理，利用人性弱點來擊敗他？

這局蘇菲亞使出前所未見的招數，有時出手像幼嫩的新手，有時卻像某位大師般厲害。她的思考模式與人類大相徑庭，難以捉摸，李民俊從未遇過這種對手！

冷森森的機械臂靈巧得像人類的手，在李民俊面前晃來晃去，鋥亮的鋼指精準地把黑棋放在棋盤的交叉點上。

李民俊無法透過表情、眼神和身體語言看透對手，因為蘇菲亞只是一台沒有感情和沒有血肉的機器，她不受外界環境和壓力影響，不會感到疲倦，也不計較成敗，無論發生甚麼事她都紋絲不動，這真是一場公平的比賽嗎？

全球人類正在觀看「人機大戰」的直播，人類的榮辱似乎都掌握在李民俊手上。螢幕上的李民俊顯得緊張和焦慮，有時抓耳撓腮、有時把臉埋在雙手中、有時如坐針氈不停挪動身體、有時轉動脖子鬆弛緊繃的肌肉、有時舉杯啜茶……

李民俊舉棋不定，攥着棋子發愣，這位自小已被譽為神童，曾經贏過十八個世界冠軍的圍棋天才，這刻竟然完全看不懂棋盤上的變化！只剩下三十秒時間思考，李民俊發躁起來，汗水昏花了眼睛，他矇矓地看見棋盤上出現一個由黑子砌成的「死」字！

第五局

因為嘉嘉懂得下圍棋，所以總編輯派她去訪

問艾倫。

嘉嘉下午來到艾倫創立的人工智能公司。雖然工作繁忙，但艾倫仍然抽空接受她的訪問，並熱烈歡迎她。

艾倫比想像中高大，他穿優質西裝，戴名牌眼鏡，臉上的幾條紋路訴説着豐富的人生閱歷，一撮花白的頭髮為他增添了成熟男人的魅力。

人工智能戰勝圍棋棋王李民俊後，身為蘇菲亞的開發者的艾倫隨即聲名鵲起，不少報章和雜誌都爭相訪問他。

艾倫首先向嘉嘉介紹公司的員工，他們全是一流人才，當中包括人工智能專家、神經系統科學家和電腦工程師。艾倫一邊介紹一邊引領嘉嘉進入一條長長的走道，走道兩旁有幾間實驗室，蘇菲亞正在其中一間實驗室裡下棋。

嘉嘉透過玻璃窗，觀看實驗室內的情況，眼前的景象好像科幻電影的其中一幕。蘇菲亞正在與自己弈棋，兩條機械臂輪流把黑白兩色的棋子放到棋盤上，她下棋的速度奇快，她的判斷力和思考速度明顯遠勝人類。

嘉嘉看得入迷，艾倫傲然地説蘇菲亞能於短時間內處理大量複雜訊息，她採用了「深度學習」這種人工智能技術，她能模擬人類大腦認知和思考，能從錯誤中學習，然後作出正確決策。她以圍棋數據庫的幾萬個人類棋局盤面進行學習，至今她已經與自己下過三千萬盤棋，現在她正為迎戰中國棋王作準備……

離開實驗室時艾倫説人生猶如棋局，每一個決定都會影響之後的發展，他原本想讀醫科，報讀大學前一刻才改變主意。嘉嘉看着艾倫的手，就是這雙巧手製造出蘇菲亞，若果他真的當上醫生，相信也會是一位出色的外科醫生！

圖書館現正招募「真人圖書」，歡迎市民加入「真人圖書」的行列。」

黑色記事本

申請者必須年滿十八歲，樂於與人分享自身的故事和感悟，擁有獨特經歷者更佳。」

人老了，身邊的人一個個因病離世，或因為其他原因而離去，留下的只有一段段愛恨回憶。

有些回憶清晰細緻可觸可碰、有些遙遠縹緲捉抓不住、有些蕪雜破碎難以拼湊、有些如枯萎黃葉簌簌落下、有些忽閃忽閃像火花驚現……無論內容是甜是苦，對已達耄耋之年的人來說這些回憶都是珍貴的，因為我們只能在記憶中尋找到故人的身影……

* * * * *

老李記不起何時來到公園，他相信自己已在長椅上坐了一段時間。

年輕時看見那些無所事事，終日留連在公園的長者，覺得他們很淒涼和可悲，心想將來千萬不要步他們後塵。但退休後百無聊賴，時間多得不知如何打發，他不想困在斗室裡發愣，惟有走到公園閒坐。

群鳥在樹上啼鳴，野貓在草坪上伸懶腰。一群小孩正在遊樂場上玩跳房子和盪鞦韆。遛鳥的人拿着鳥籠在遊逛，遛狗的人被狗拖拉着走。一對情侶在小徑上跑步，落後的女孩不甘示弱氣咻咻的緊隨在男孩背後。穿西裝的男人倚在欄杆上抽煙，把煙掐滅後他把煙蒂彈射到遠方……

天色開始轉暗，老李拿着報紙離開公園，回家做晚餐。

＊＊＊＊＊

舊鄰居致電麗娜，説她的爸爸失蹤了。昨晚她回家時發現麗娜爸爸的寓所的門虛掩着，由於這陣子常有獨居長者在家中猝死，她感到有點擔憂，於是便進入室內查看。當時寓所裡沒有人，一片凌亂，而她的爸爸整晚都沒有回家。鄰居覺得事有蹊蹺，於是便聯絡麗娜。

麗娜與爸爸已經很久沒有見面。二人關係原本不錯，但媽媽死後爸爸變得孤僻，不太願意與人接觸，而且性情大變。一向儒雅有禮的他突然變得粗野無禮，行為舉止變成了另一個人，某次更因為雞毛蒜皮的事而動怒，順手拿起身邊的物件擲向她。古董錶不見了，他懷疑她的丈夫偷偷拿去變賣，又說他們想騙走他的退休金……爸爸愈來愈不可理喻，每次見面大家都拌嘴，父女因而變得疏離，相聚的次數減少了，後來更不再聯絡對方。

麗娜不知道爸爸下落，她說會先向親友查詢，然後再決定是否報警。

＊＊＊＊＊

做完早操，老李回家吃早餐。

來到家門前，他發現門鈴旁被人用麥克筆畫了一個星形符號。這個符號何時出現？究竟是甚麼人留下？這個符號有甚麼用途？會不會是隔壁的頑皮小孩的惡作劇？

老李突然想起早前有多個屋苑也出現類似的符號，有人認為這是竊賊所為，他們認定目標單位後便留下記號，趁戶主離開後便入屋搜掠財物。可能賊人探知到老李獨居，容易下手，於是留下記號，準備犯案。

吃完早餐後老李急忙拿出油漆，把符號遮蓋。這晚睡前他再三檢查門窗有沒有鎖好，做足防盜措施後才上床睡覺。

＊＊＊＊＊

現在我惟有靠舊照片喚起回憶。舊日我經常拍照，儲下大量照片，我把照片放在相簿裡，閒時便拿來欣賞。

我拍下壽宴上的父母、教學時期的生活點滴、與家人旅遊時異地的風光、重大的歷史事件、城市的變遷和發展……

拍得最多的當然是妻子和女兒。小時候女兒多麼精靈活潑，整天蹦蹦跳跳，又乖順又服從。年輕時妻子姿容姝麗，身段頎長，烏溜溜的長髮，白淨的皮膚，活像雜誌上的模特兒。

我習慣在每幀照片背後記下拍攝日期和地點，但現在當我回顧這些舊照片時，縱使有文字的提示，很多往事已一去不返。我真的去過這地方？站在我身旁的是甚麼人？妻子抱着的小孩是誰家的孩子？相中的食物我真的嚐過？我真的有參與過這場遊行？

*****

雖然關係破裂，但麗娜始終擔心爸爸，他究

竟去了哪裡？

爸爸一向抗拒科技，一直堅持不用手提電話，說手提電話發出的輻射會引發各種癌症，所以他不在家麗娜便找不到他。

麗娜逐一致電親友和聯絡爸爸的舊同事，嘗試追查他的去向。但原來爸爸已經很久沒有參與他們的活動，也鮮有出席他們的飯局，所以他們都不知道他的近況，更沒可能知道他的行蹤。

對於他的失蹤，大家全無頭緒，丈夫叫她盡快報警。通知警方前麗娜決定先去他家走一趟，或許能在那裡找到一點線索。

＊＊＊＊＊

老李掀開窗簾的一角，偷偷察看對面大廈的一個單位裡的情況。他發現大廳的燈突然點亮，燈光下出現一個瘦長的身影。老李被這情景嚇倒，急忙放下窗簾，神經兮兮閃躲到牆角處。

老李懷疑有人監視他。

因為視力衰退，平日他喜歡坐在光線充足的陽台閱報。某日看報紙看得倦了，眼睛矇矇矓矓，他放下報紙和放大鏡，遙望遠方讓眼睛稍作休息。這時他赫然發現對面樓宇裡有人正在觀看他！這人肆無忌憚站在窗前，直視老李的寓所，直到老李站起來，朝他的方向回望，他才有所避忌，向後退縮。

自此以後，老李特別留意對面單位的動靜。每次眺望，總見人影幢幢，入夜後老李更見到有人隱伏在黑暗中，明目張膽偷窺……

＊＊＊＊＊

前往爸爸的寓所途中，麗娜想起快到媽媽的死忌，也是時候拜祭。

麗娜與媽媽比較親近，有甚麼心事都會向媽媽傾訴，她的死為她帶來很大傷痛。

媽媽離世前她和爸爸每天守在她身邊，媽媽嚥下最後一口氣時麗娜傷心欲絕，哭成淚人。雖然同樣感到傷心，但爸爸一直沒有哭，內斂的他暫時把情感隱藏。他有條不紊處理媽媽的後事，冷靜而理性地去面對老伴的死亡。但當所有事情辦妥後，整理媽媽的遺物時，爸爸再也按捺不住。他拿着他送給媽媽作為定情信物的玉墜，嗚嗚地哭起來。這刻麗娜覺得爸爸好像卸下了身上的鎧甲，暴露出真我，赤裸而脆弱。

* * * * *

有時候，遺忘其實也不是一件壞事，過去的不快回憶、慘痛經歷和不能彌補的遺憾都可以一一忘記，人生從此少了很多煩惱。

我不再被舊事折磨和纏擾，不再因為某件事而懊悔、內疚和抱怨，不再浪費時間提出種種假設，希望扭轉當時的事態發展。

遺忘令我產生錯覺，好像一生的罪都被抹走（每個人都曾犯罪，沒有人是完美），列舉了我的罪狀的裁判書，上面只剩下一片空白。這是上天的赦免？抑或懲罰？

＊＊＊＊＊

懷疑被人監視後，每次外出老李都提高警覺，留意周遭的人。

這天進入超級市場購物時，他察覺到有一名男子不時在他附近徘徊。這人身形高瘦，膚色棕黑，頭髮向後梳理得整齊油亮，挺直的鼻樑上架着一副墨鏡。他穿着普通的灰色襯衫和藍色牛仔褲，毫不引人注意，唯一觸目的是他右手食指上那枚銀黑色的骷髏形戒指。

他們在縱橫交錯的走道上玩捉迷藏，無論老李去到那裡，這人都緊緊追隨。老李放慢腳步走，他的步調也緩慢下來。老李停下腳步時，他也佇立不動，一邊裝作在貨架上揀選食物一邊盯梢他。

老李不知道對方的身份和動機，他會不會就是經常監視他的人？他會不會傷害自己？他身上有沒有武器？

一連串臆測幻想出一幕幕悲劇性的結局，老李不由自主冒了一身冷汗。為了自身安全，他要盡快離開這裡。他趁男人的視線被遮擋時，突然拐彎，扔下購物籃，跌跌撞撞直奔出超級市場。

＊＊＊＊＊

麗娜到達爸爸的寓所，一如鄰居所說裡面亂七八糟，家具被移動過，抽屜打開了，衣物、唱片和書籍撒滿一地。

舊日爸爸愛整潔，家裡的佈置很簡約，沒有多餘雜物。但現在屋裡囤積了很多老舊的影音和攝影器材，不知他從哪裡撿來這些破爛。

爸爸的卧室同樣凌亂，枱燈沒有關上，床鋪亦沒有收拾。廚房擺放了一些食材，證明爸爸失蹤前正在煮食。砧板上的肉還未完全剁碎，蔬菜仍然浸泡在水中，調味盒打開了，一列螞蟻正在努力搬運鹽粒和糖粒。

麗娜坐在沙發上，嘗試理出一個頭緒，她認為爸爸極可能被人強行帶走，現在惟有報警，讓警察跟進這件事。她從手袋裡掏出手機，準備聯絡警方，這時她瞥見儲物櫃下有一本黑色記事本……

*****

昨晚我半夜醒來，聽到廚房傳來碗碟的碰撞聲，我走到廚房，竟然見到玉蓮正在燒菜和煮飯！

她見到我時臉帶歉意，說遲了做晚餐，累我挨餓。我告訴她我已吃了晚餐，現在已是深夜，快些上床睡覺。

我拉着她一同鑽進被窩。她的身體很冰冷，我於是裹着她，用自己的體溫暖烘她。她的身體漸變暖和，透出淡淡幽香，熟悉的，令人懷念的氣味。

久別重逢，興奮驅走了睡意，我們閒聊起來，我告訴她最近發生的一些事：一向被視為「剩女」的姪女惠蘭終於結婚、鄰居黃太又中六合彩、歷史悠久的銀都戲院已經拆卸、現在乘坐高鐵便能到達廣州、日本又發生地震……

我們聊至破曉才入睡，紅日高掛時我才醒來，那刻床上只剩下我一人，但玉蓮的體溫和體香仍然殘留在被窩裡……

*****

老李發現其中一部相機不翼而飛。

最近幾隻鳥在公園的樹上築巢，牠們身軀翠

綠，前冠呈紅棕色，身後拖着白色的長尾，非常惹人注目。老李想拍下牠們築巢的過程，於是在家裡尋找合適的攝影器材，但找了半天也找不到那部配備長焦鏡頭的相機。

老李突然想起女婿一直覬覦這部相機。那次和女兒前來探望他時，他不停把玩它和讚美它的功能，更希望老李能把它賣給他。但無論出價多少，老李都拒絕出售。

老李認為相機一定是被女婿偷走。女兒備有這寓所的鑰匙，他必定是趁他離家時偷偷前來取走相機！

老李把最近發生的怪事串聯起來，猛然驚覺一切事情可能都是女兒和女婿精心策劃的陰謀。他們派人監視和跟蹤他，記錄他的行蹤，然後趁他不在家時便前來偷竊。他們預先在門鈴旁畫上記號，把失竊的罪責推給賊匪……

* * * * *

這是一本A4大小的記事本，黑色皮套有些磨損，相信已經用了一段時間。記事本的內頁劃分成三份，以日期區分，每頁可以記錄三天的事情。記事本上寫滿密密麻麻的字，麗娜認得這是爸爸的筆跡。爸爸從一月寫到九月，兩星期前才停止書寫。她留意到開始時爸爸的筆跡一如以往工整，但近月寫的字卻歪七扭八，最後幾篇更難以辨認，好像幼兒的塗鴉。

這是爸爸的日記？隨筆？抑或小說？

麗娜調整一下坐姿，隨意翻閱記事本：得了這病後，處理任何事都變得困難……

＊＊＊＊＊

得了這病後，處理任何事都變得困難，簡單的日常事務變成了艱巨任務。舊日我只花十五分鐘洗澡，現在足足用上一小時才能完成整個過程。穿衣服時，拉上拉鏈或扣上鈕扣都變得費時和費力（選錯衣服的情況也很常見，酷暑時我竟然穿了一件羊毛衣外出）。我要用一個上午才能準備好午餐，還要先把烹調步驟一一記下才不會忘記煮食的次序。

我的視力和平衡力亦受到影響，很易絆倒，因為無法判斷物件的距離而經常碰翻身邊的擺設。

我不時遺失東西，曾經失掉眼鏡、鑰匙、書籍……我努力尋找失物，但後來我竟然連尋找失物這件事也徹底遺忘！

我無法記住數字，以致忘記了大部分密碼，我無法從自動櫃員機提款，試過打不開大廈的大閘，也記不起自己的電話號碼和身份證號碼。

閱讀和書寫能力亦大不如前。閱讀小說時我無法記住情節的發展，書寫能力與病情一樣時好時壞，好時與舊日無異，壞時執筆忘字和詞不達意……

*****

今天與幾位舊同事聚餐，順道把相機賣給其中一人（現在已沒有甚麼值得留戀）。

酒足飯飽後我們談天說地。大家年紀大，見面時話題已由股票樓市轉為養生保健。之後有人說起轉職為補習名師的謝 Sir 剛剛因為腸癌離世，也有人談起學校的改變和批評現時學生的語文水準不斷下降。

談話時我發現我的溝通能力衰退得比預期中快。

別人發問時我需要長時間思考才能作答，我已無法處理繁複的訊息，所以不能同時回答幾個問題。有時候我瞬間便忘記了問題的內容，他們需要重複提問才能得到我的答覆。只要錯過話裡幾個字，我便無法明白那句子的意思，跟進不到別人的對談。

我吃力地與他們溝通，企圖表達我的想法，

但腦中一片迷濛，找不到合適字句，作答時我把字詞的意義混淆，搞亂了句子結構，說出來的話根本無人明白……

＊＊＊＊＊

今天究竟是何年何月何日？不看日曆我根本記不起今天是甚麼日子。

我失去了時間觀念。今早見過某人，我懷疑是幾天前發生的事。約了牙醫做檢查，我又搞錯了日子。我把日夜顛倒，深夜出門買報紙和去茶樓品茗。我雖然整天戴着手錶，但仍然捕捉不到時間的概念，也感覺不到時間流逝。

我想不起過去大部分的事，也沒法展望未來，我只擁有現在。但現在很多時我也捉不住，因為大腦隨時會「死機」，那時我又會變得懵懵懂懂。清醒的時間愈來愈短，其餘時間我完全記不起自己做過甚麼，情形猶如影片突然斷片，失去了部分片段，生活因而變得不連貫……

＊＊＊＊＊

妻子死後老李孤零零獨守空屋，感到很寂寞，他於是買了一個魚缸，養了幾尾金魚作伴。他每天給他的夥伴餵食三次，於早、午、晚定時送上魚糧。

今早餵魚時他發現魚缸裡的魚全死光！牠們猶如缸底的卵石全無生命跡象。因為驚愕，他一時間不知如何反應，冷靜下來後他開始思索金魚的死因，牠們是不是集體染病？抑或中毒身亡？

他即時想到一定是女兒和女婿毒死他的魚，或者他將會成為他們下一個目標！他們先用金魚測試毒素的效力，然後再在他的食物裡下毒。他們想謀財害命，奪走他攢下來的錢……

老李異常擔憂，立即把冰箱裡的食物全部丟棄。扔掉食物後他坐下來休息，心中突然生出一個計劃，他不能坐以待斃，任由二人宰割，他將會設下陷阱，等他們自投羅網！

＊＊＊＊＊

那天在街上碰到一名舊日的學生，雖然努力回憶，但仍然想不起這學生的名字。人老了自然健忘，那時候我並沒有把這件事放在心上，但之後我開始忘記大大小小的事，而且情況持續惡化。我的生活受到嚴重影響，不得不接受診斷和治療。

透過血液檢驗、行為評估、認知測試和腦部掃描，醫生診斷我患上認知障礙症。他說這病不能完全根治，只能用藥物延緩腦退化的速度，被確診後患者通常能多活八至十年，亦有人過了二十年後才逝世。

我的腦細胞將會逐漸萎縮和死亡，認知功能、判斷力和記憶力下降，情緒易波動，變得多疑，更可能產生幻覺……

＊＊＊＊＊

……除了服藥，醫生為我安排各種訓練。

醫護人員與我玩拼字遊戲和邏輯遊戲，訓練我的記憶力和邏輯思考能力。他們給我一根輕觸棒，點擊螢幕上的目標，以此訓練手和眼的協調。他們讓我在平板電腦上練習寫字，增強我的書寫能力。訓練中心亦設置了模擬街市和模擬酒樓，病人置身這些場景中，與人交流互動，除了能夠維持一般的社交技能，還能提升我們的自理能力，令我們如常地在社會上活動。

醫生說在家時也要好好鍛鍊腦袋，最好不要花太多時間看電視。我保持寫作習慣，記下感受和每天發生的事，運動大腦之餘，亦以此抗衡殘酷的命運……

*****

老李在鴨寮街買了一部針孔攝錄機，他打算用攝錄機拍下女兒和女婿的罪證。他把攝錄機隱藏在幾個相架後，二十四小時進行監察。

回看錄影片段，老李一直找不到他們潛入他的居所的證據。拍了幾天，他們都沒有現身，攝錄機的鏡頭只捕捉到他在屋裡的生活情況。

拍了兩個多星期仍然一無所獲。來到第二十天，老李回家時發現寓所亂糟糟，遍地衣物和書籍。他馬上翻看錄下的影片，他以為攝錄機一定拍下女兒和女婿的犯罪過程，怎料出現在螢幕上的人竟然是老李本人！影片中的他顯得很慌亂，似乎正在尋找甚麼重要東西，他翻箱倒篋，搜索每個角落，弄得一片狼藉。

老李奮力回憶，但他的頭腦好像被濁霧籠罩，看不清，也完全記不起當時想找甚麼……

＊＊＊＊＊

確診患上認知障礙症後我買了幾本記事本記錄病情和幫助記事。

我寫下每天要做的事，例如今天要買甚麼、明天要去哪裡、後天約了誰見面。我在記事本裡提醒自己出門前要帶鑰匙和錢包、睡前關上瓦斯爐、每天定時吃降血壓藥，也在扉頁記下重要的個人資料。

不少想法在腦海裡掠過即逝，不記下霎時便忘記，所以生起甚麼念頭，我都會立即寫在記事本裡。我的記憶不再可靠，我只相信記下的事，沒有文字證明我會懷疑有些事其實沒有真正發生過，極可能是自己臆造的。

某次在回家路上我迷了路，這條路明明已經走過千百遍，但我卻迷失了方向，而最糟糕的是我連住址也忘記了。那時我焦急無助，幸好我把住所的地址寫在記事本的首頁，最後在途人協助下我終於能夠安然回家。

現在，我隨身攜帶着記事本，沒有它的幫助，我根本無法應付我的生活，沒有它的指引，我根本不知怎樣行動。萬一遺失了記事本，我的生活肯定一團糟……

＊＊＊＊＊

這病衍生出各種負面情緒，心理質素差，生理狀態亦受到影響。

我每天在惶恐中度日。我害怕喪失閱讀、書寫、計算和溝通能力，害怕終有一天會完全失智，表現如幼童，不懂穿衣和刷牙，說話咿咿啞啞，流口水和失禁。我害怕睡前忘記關上瓦斯爐，釀成火災。我害怕步出商店前忘記付款，被人誤以為我想偷竊。我害怕孤獨，怕被社會遺棄。

我時常感到焦慮，擔憂不能完成生活上的大小事務，當我連最簡單的事都做不到時我會一拳摑在門上洩憤。遇到困難時我想向人求助，但我無法向人表達這個訴求，這病剝奪了我的溝通能力，我有口難言，感到無比痛苦。

抑鬱令我食慾不振，人也消瘦了。面對壓力時我會感到頭痛，甚至呼吸困難。被各樣煩惱困擾，每晚我都在床上輾轉反側，難以入眠……

＊＊＊＊＊

花了一段時間，麗娜終於讀完記事本的內容。讀後她感到很內疚，作為女兒，她竟然察覺不到爸爸生病，還因為他的轉變而遠離他。

現在她終於明白為何爸爸的行徑會變得如此乖張，他根本身不由己，他的腦功能逐漸衰萎，導致他無法控制他的行為。

作為一個知識分子，爸爸常以擁有卓越的頭腦而自豪，舊日他博學多聞，過目不忘，任何難題都能輕易解決。現在頭腦出了問題，連沖咖啡都不懂，對他一定造成沉重打擊。

爸爸一直隱瞞病情，不想自己成為家人負累。他一生辛勤工作，讓她和媽媽豐衣足食，讓她接受最好的教育，來到這刻為何他不讓她一盡兒女責任，作出回報照顧他終老？

＊＊＊＊＊

我不希望其他人知道我患病，我用盡方法掩飾自身的缺憾。我裝作正常人，在公眾場合盡量表現得與常人無異，因為我不想被人歧視和嫌棄，也不想被人佔便宜（大廈管理員知道我善忘，上月竟然收了我兩次管理費）。

我曾經想過把我患病的事告訴女兒，但最後還是打消了這個念頭。麗娜已經擁有自己的家庭，為了謀生已經疲於奔命，又要照顧丈夫，我實在不想增加她的負擔，破壞他們美好的生活。

我不想進老人院，過被軟禁的生活。我不想

佩戴裝有 GPS 系統的手環，如同野生動物終日被人追蹤。我不想與其他垂死老人為鄰，一起等待死亡降臨。我不想被綁椅上，可憐兮兮等待別人餵食……

＊＊＊＊＊

老李呆呆地站在馬路中心，汽車在他身邊呼嘯而過，一輛小型貨車突然嘎的一聲剎在他面前，嚇得他魂飛魄散。司機對他破口大罵，一位好心的途人攙扶他到行人路上。

老李前一刻還在家裡看電視，這刻他已經置身馬路中心，中間發生過甚麼事他全無印象。他覺得這裡似曾相識，附近的景物牽連着一堆往事，但牽連着往事的絲線已被切斷，舊事已徹底忘懷。

他可能走了很多路才來到這裡，趿着拖鞋的雙足非常髒污。因為筋疲力盡，他喘噓噓的坐在路邊休息。剛才攙扶他的途人問他叫甚麼名字？是不是感到不適？需不需要幫忙？但老李完全不理解他的話，所以無法搭腔，只能直愣愣地望着他。

＊＊＊＊＊

警方接到麗娜爸爸的失蹤報告後，立即上門了解情況。麗娜告訴他們整件事的來龍去脈，警員要求她提供他的個人資料和近照，以便尋人。由於父女近年已沒有見面，也沒有一同拍照，麗娜最後只能在手機裡找到一幀爸爸的舊照，給警方作為尋人之用。

之後，機動部隊在附近進行搜索，查看大廈和商店的閉路電視，追查麗娜爸爸的八達通紀錄，希望從中找到線索。

麗娜心急如焚，怕爸爸遭遇到不測，或從此人間蒸發。外面突然下起瓢潑大雨，不知爸爸有沒有帶雨傘。那晚同樣下着暴雨，她與同學去了蘭桂坊消遣，很晚才回家。因為擔心她的安全，爸爸整晚拿着雨傘在巴士站等她，翌日他因為着涼而病倒……

幾小時後警方接到市民來電，說在路上遇見一位懷疑患上腦退化症的老人……

＊＊＊＊＊

……我叫李福生，若果沒有記錯，今年七十三歲，是一名退休教師。我患有認知障礙症，這病舊日稱作老人癡呆症。

我不知道將來有沒有人會讀到這本記事本，記事本裡記載的全是我的親身經歷，記錄了這病如何蠶食我的記憶、摧殘我頭腦的各項功能，我每天面對的困境和患病後的感受。

若果某天我的病已到了末期，頭腦完全失靈，無法與人溝通，這本記事本將有助別人理解我的處境。萬一我遇上意外或身體機能因為其他病而衰壞，存活的可能性不大，請不要替我進行急救，因為我不想再承受無謂的痛苦……

＊＊＊＊＊

麗娜的爸爸正在商場裡避雨，兩名軍裝警員守在他身邊，途人的目光紛紛停駐在他身上。

麗娜趕到現場，見到爸爸穿着睡衣趿着拖鞋，脖子上掛着媽媽的玉墜。猶如數十年睽違，麗娜差點認不到他，舊日他矍鑠挺拔，現在卻老態畢現，只剩下一身瘦骨頭。他彎腰駝背，頭髮白花花，蒼老的臉上佈滿溝紋，牙齒可能已經掉光，兩頰凹陷下去，整個頭顱好像被抽乾了水份的果子。

這裡是他們的舊居，麗娜在這裡長大，爸爸和媽媽婚後幾十年都住在這裡。現在舊居已經清拆，改建成商場。

爸爸灰頭土臉，龜縮在牆角，怯生生的，像受驚動物。麗娜來到他面前呼喚他：「爸爸！爸爸！」但他癡癡傻傻，精神渙散，只顧不停嘟囔，對女兒的呼喚全無反應。麗娜於是靠近他，捉住他的手，再嘗試與他溝通。最後，老人開始忍受不了女人的煩擾，抬起頭來問：「你是誰？」

申請者必須年滿十八歲，樂於與人分享自身的故事和感悟，擁有獨特經歷者更佳。」

假面

(一)

K成功救出人質，逃走時他們遇上兩名恐怖分子。K的手槍已經沒有子彈，他靈機一動，拾起地上的石塊，用力擲向懸吊在天花板的燈泡。燈泡被擊碎，四周一片黑暗，恐怖分子向着K的方向亂槍掃射，這時K已經幽魂般繞到他們身後，悄然無聲地刺斃二人。之後，K與人質登上直升機，鐵鳥飛到半空時他啟動引爆裝置，把恐怖分子的基地炸個稀爛……

邢小敏一直盯着電視螢幕，忘記扒飯，直到爸爸喊她，她才如夢初醒。邢小敏每晚都會觀看

《反恐特工》這齣電視劇，她對每集劇情都瞭如指掌，閒時她與同學談論劇情發展，上網閱讀有關這劇集的資訊和評論，甚至連製作花絮都不會放過，徹底地入迷。

這齣電視劇能夠風靡一時，主要原因是製作認真，劇情峰迴路轉和邀請到男子樂團「Supersonic」主音金俊賢做主角。金俊賢是美韓混血兒，因為長得俊俏，又懂作曲和填詞，一直都有很多支持者。他首次主演電視劇的消息傳出後便隨即引起哄動，他的參與直接提高了這電視劇的收視率。

金俊賢身形高大，形象健康正氣，精通幾國語言，非常適合擔當代號K的特工的角色。為了演好這角色，據說開拍前三個月他已開始接受嚴格體能訓練、曬黑肌膚、學習武術和槍械知識，劇裡所有動作場面都由他親身演出，沒有使用替身。他的努力沒有白費，由於演得維妙維肖，鐵漢形象深入民心，外出時甚至有市民以「K」稱呼他。

劇集播出後邢小敏和無數少女的魂魄都被金俊賢勾走。邢小敏節衣縮食，省下零用錢購買他的唱片、影碟和寫真集，錢包放了他的照片，電腦桌面換成《反恐特工》的劇照，卧室也貼滿金俊賢的海報。金俊賢喜歡吃炸雞，邢小敏也跟着偶像吃炸雞。金俊賢閱讀的書，她也找來讀。為了拉近與偶像的距離，邢小敏開始學習韓文……

透過《反恐特工》的官方網站得知幾位演員將會來港與「粉絲」見面，邢小敏高興得徹夜難眠，她立即把消息寄給同學，約定到時一同去見偶像。

（二）

商場中庭設置了一個舞台，舞台前聚攏着近千名少男少女，二樓和三樓也圍滿人。這些年輕人以乾糧充饑，坐在地上玩手機和閒聊消磨時間，靜待《反恐特工》幾位演員的到來。

邢小敏瞞着爸爸，蹺課不去補習，一早便與同學前往商場，希望找到有利位置拍攝金俊賢。但到達商場時她們才發現根本無法擠進黑壓壓的人海中，她們惟有走到二樓，幾經辛苦終於在推推搡搡的人群中站穩住腳。

苦等半天，幾位韓星終於踏上舞台。群眾情緒高漲，搖動寫着支持偶像語句的標語，大喊偶像名字，舉起配備長焦鏡頭的相機不停拍攝。

全場焦點當然落在金俊賢身上。今天他穿着一襲藍色西裝和一對錚亮的皮鞋，頭髮剪短了，五官更分明，外表更加俊美。

以廣東話與大家打招呼後，各演員透過翻譯感謝香港觀眾的支持。之後他們與「粉絲」玩遊戲，用玩具槍射擊台上的人形靶子。每當金俊賢舉槍瞄準目標時，台下觀眾便失控尖叫。被選中可以近距離親近偶像的幾名少女都很興奮，有人緊張得面紅耳赤、有人含情脈脈凝視金俊賢、有人握着金俊賢的手一直不願放開，有人激動得差點暈倒。

遊戲結束時一名光頭男子突然走上台，他從懷中拔出一把水果刀，在眾人面前瘋狂揮舞手上的利器。他的打扮和造型如同劇中恐怖分子的頭目，觀眾以為這是主辦單位安排的特別表演，紛紛拍掌歡呼。

男人雙目圓睜，歪着嘴傻笑，舉刀衝向金俊賢。觀眾預期金俊賢會像K一樣面無懼色迎戰，以幾個流麗動作擊倒他。但金俊賢並沒有這樣做，他和台上的人連滾帶爬逃亡，他左閃右避，異常狼狽，更絆倒在舞台上。身旁飾演犯罪心理學家的女演員不顧自身安危，立即扶起他，金俊賢見狂漢逐步迫近，竟然借勢以救命恩人作擋箭牌，躲在她身後！女演員赤手擋架狂漢的襲擊，一根手指被斬斷，鮮血濺染在白色短裙上。狂漢推開女演員，大喊：「K！受死吧！」，然後一刀刺向金俊賢。這時幾名保安員蜂擁上前制服他，奪去他手上的刀，並把他按壓在地上。

大型屏幕上的金俊賢鐵青着臉，蝸蜷在一角，望住血泊中的斷指不停顫抖和嚶泣。他渾身乏力，軟乎乎猶如一團麵團，需要工作人員攙扶才能下台。

無數手機拍下剛才發生的一切，金俊賢的醜態瞬間便在全球散播。

(三)

邢小敏如常一邊吃晚飯一邊觀看《反恐特工》。

今集恐怖分子在一名政要的車上裝了炸彈。救出政要後，K 把汽車駛離集會現場，以免爆炸造成大量傷亡。K 駕駛汽車到海邊，他不斷加速，把車投向大海前他及時躍出車廂，轟隆一聲，他的身後爆出一個巨大火球……

邢小敏冷冷地瞅着螢幕，金俊賢賣力的演出

再也打動不到她。看着他時當日他慌忙逃竄的畫面又重現心頭，螢幕上智勇雙全和身手了得的特工在現實裡其實只是一個窩囊廢。

愛轉變成恨，昔日只看到金俊賢的美貌，現在有關他的一切也看不順眼。她開始覺得這齣劇集的劇情千篇一律，毫無新意，演員的演技浮誇，電腦特技也虛假，她不想再看下去，於是拿起遙控器關掉電視。

（四）

金俊賢一直避開傳媒，沒有露面，經理人說他離國休養，暫停所有演出和宣傳。

雖然挺身拯救金俊賢的女演員的斷指已經駁回，但金俊賢仍然被千夫所指。他的人氣急跌，形象盡毀，《反恐特工》的收視率不斷下降，他的樂團的新唱片延期推出，廣告商也取消與他合作。

競爭對手藉機落井下石，火上澆油，盡情

抨擊他，有關他的負面新聞也陸續浮現。傳媒找到證據，證明他根本不是混血兒，父母都是韓國人，他全靠整容塑造出標緻的五官。有《反恐特工》的工作人員向外界透露劇集裡所有動作場面都是由替身代替金俊賢演出，金俊賢亦沒有在演出前接受過任何訓練。一直被他搶去風頭的樂團成員說金俊賢只是掛名參與作曲和填詞，他們揶揄他虛有其表，毫無音樂才華。幾名女歌迷指控他性騷擾，其中一人更聲稱保留着當日被侵犯時的錄音……

申請者必須年滿十八歲，樂於與人分享自身的故事和感悟，擁有獨特經歷者更佳。」

古墓 303

休班警員：回家時已經夜深，途中我見到一處山坡上有燈火搖曳，走近時發現一名男子拿着鐵鍬在挖掘。我表明身份，問他幹甚麼，他沒有回答我的問題，轉身便逃跑。我跑得比他快，很快便逮住他，將他帶回警局，調查後才知道他是一名盜墓賊……

考古隊來到金菊鎮，視察後證實山坡下果然有一座墳墓，不知盜墓賊是如何得知墳墓的位置。

之後，考古隊帶來裝備和工具，僱了一批民工，協助他們繼續挖掘。夷平山坡後，一個墓室開始現形。考古員小心翼翼翻開泥土，移走沙石，以免破壞這座地下建築和珍貴文物。

他們夜以繼日不停工作，兩個月後墓室終於重見天日。

墓室前有一條墓道，不知通向何處。墓門上貼着「303」幾個凸字，推測是墓室編號，表示眼前的墓室可能只是墓群中的其中一個。墓室呈長方形，以古時量度單位計算，面積約二百平方尺。墓室裡有兩副骸骨，一人骨盆較寬，另一人骨盆較窄，顯示死者是一男一女。由於找不到墓誌銘，所以暫時不知道他們的身份。

＊＊＊＊＊

考古員：雖然搭起了帳棚阻擋陽光，但在烈日烘烤下，氣溫仍然很高，所有人都汗流浹背。發現塚墓的消息傳開後，鎮上的人扶老攜幼來看熱鬧，嚴重防礙我們工作，幸好後來警方派員維持秩序，隔開人群，情況才稍為改善……

因為未被盜墓者洗劫和破壞，所以 303 號墓室得以保持原貌。

根據發掘時土層的塑膠殘餘物的種類來推

斷，這墓室建於新塑膠時代（這一帶的泥土下佈滿飯盒殘骸，這些白色飯盒是新塑膠時代的產物，專家説這些塑膠物料需要一萬年才能完全分解）。

雖然墓室沒被賊人蹂躪，但埋在黃土下千百年，被水土侵蝕和各種生物侵擾，華麗的墓室早已變得破敗，現在只剩下斷壁頹垣，不少陪葬物亦已腐朽。

303號墓室由磚塊砌成，磚塊大小一模一樣，磚塊緊密接合，疊砌出來的牆壁很堅固和結實。古時已有如此精湛的建築技術，令在場參與研究工作的古代建築專家大為驚訝。

墓室佈置成居所模樣，有家具和擺設。遺體以仰身平躺姿勢，被安置在床上。床邊有一個火盆，相信是入殮時進行儀式時使用的。

古人相信人死後會存活在一個叫「陰間」的世界，所以依據當時習俗，後人會把墓穴佈置成逝者生前的居所或寢室，讓他們死後在熟悉的地方繼續活動。

古時一般人逝世後會被火化，骨灰存放骨灰

龕，只有富人才選擇土葬。墓室裡的兩名死者顯然不是普通人，他們特意興建了一座墓室作為長眠之地，整個墓室就是二人的棺槨，以此奢華方式埋葬的人可能是達官貴人或王侯將相。

＊＊＊＊＊

法醫：檢查遺體和遺骸，有可能找出死者的死因，亦有可能從屍體和屍骨上閱讀到有關死者生前的居住環境，飲食習慣和健康狀況等資訊……

由於無法在遺址作詳細研究，所以考古隊把骸骨運回實驗室，讓法醫仔細檢查。

檢測結果顯示，兩名死者年約五十歲，男死者骨架長一點六五公尺，女死者骨架長一點六公尺（古時流行夫妻合葬，估計二人是夫婦）。從牙齒磨蝕程度來推斷，他們都是肉食者。可能長期低頭操作某類裝置，他們的頸椎輕微彎曲，拇指關節有勞損痕跡（新塑膠時代的人的身體都出現同樣毛病）。恥骨距離説明女人曾經生育，她的幾顆牙齒曾被修補，蛀洞被某種物料填充。男人右腳踝曾經骨折，施行過固定手術，一枚鋼釘仍然留在骨內。

至於死因，因為骸骨沒有明顯傷痕，所以相信他們不是遇上意外而死亡或被謀殺。古人平均壽命有八十歲，兩名死者才五十歲，老死的可能性不高。若果二人是大瘟疫下的犧牲者，遺體一定會被火化，不會被埋葬。那麼，他們是不是病死？抑或自殺？夫婦是不是同時死亡？由於這兩副骸骨所屬的年代太久遠，以現今有限的技術，恐怕仍未能解開這些謎團。

＊＊＊＊＊

金菊鎮一名人瑞：災難降臨前往往會出現一些異象，例如月蝕、炎夏時下冰雹或蛇蟲鼠蟻突然慌亂逃亡，亦會有人夢到死神……

新塑膠時代發生過一場大瘟疫，這場瘟疫殺死無數人，瘟疫的到來奏起了文明沒落的序曲。

傳説當時的人狂妄自大，耽於逸樂，濫用大自然資源。他們的所作所為觸怒了名叫「Google」的神（Google 神無所不知，祂能解答世上所有問題，深受古人崇拜）。神決定懲罰這些愚頑的人，於是在大地散播病毒。

古時的人發明了一種交通工具，可以載人上天，飛去另一國度。病毒隨着這種交通工具，很快便降落世界每一角落。

感染病毒的人會出現咳嗽和發燒等病徵，之後病人的肺部開始損壞，呼吸困難，其他器官接着衰竭而死亡。病人死前會感受到極大痛楚，他們的死狀恐怖，臉變得紫脹，雙眼暴凸，四肢變形。

醫學專家尋求醫治方法，急忙製造疫苗對抗病毒。但病毒不斷變種，進化速度比疫苗生產的速度快，最終藥物和疫苗都敵不過病毒。

這場瘟疫持續了十年，全球人口驟減。各

國的醫療系統崩潰，政府倒台，很多國家進入無政府狀態。電力供應中斷，缺水缺糧，社會秩序蕩然無存，到處都有搶掠和殺戮。人類退化成野獸，回歸原始社會，古代文明宣告終結。

＊＊＊＊＊

電子垃圾收集站的職員：經常都有農民掘出古人的電子裝置，然後送來給我們。最常見的是一塊金屬，大小如同成年人的手掌，正面是螢幕，背面鐫刻了一個咬了一口的蘋果的標誌，普遍認為這東西是用來接收和發放訊息的……

陪葬品被運送到古物辦事處，辦事處的工作人員把這些古物逐一清理，將資料寫入檔案，然後附上編號，放進盒中保存。很多陪葬品已成碎片，他們根據物件的紋路、圖案和形狀，把碎片拼合起來，盡力拯救這些文物。

出土的文物有各式器皿、電器、廚具、餐

具、瓷器、玉器、時計……

衣櫥中的壽衣，命運如同塑膠製的隨葬品，已經全部朽壞。但有一些物品，經過千百年歲月打磨，形貌都沒有改變。例如幾個玻璃樽、一座貓形陶器、十來個鑄有洋紫荊圖案的冥幣和兩對原本刻了死者名字的象牙筷子。

除了死物，陪葬品中還有活物。在一個直立的長方形櫃子裡，存有雞的骸骨，相信牠是被活埋的。

審視陪葬品時，工作人員發現有另一種文字印刻在某些物件上，古代語言學家認為這是西方的文字。西方產物出現在東方，證明那時交通和運輸發達，兩地有貿易往來。死者身處的那個年代的人，應該通曉兩種語言，能以西方語言與來自西方的人溝通。金菊鎮的前身，說不定是一個國際大都會！

＊＊＊＊＊

金菊鎮一位廚師：我們食店每天大約宰殺十數頭貓和狗，供鎮上居民食用。但因為考古隊發現了古蹟，其他鎮的人湧來這裡觀光，令到生意大增，所以現在每天都要宰殺雙倍的貓和狗……

陪葬品中，最珍貴的是一座貓形陶器。陶器存放木盒裡，木盒雖然已經朽壞，但陶器卻奇跡地沒有損毀。

在古人眼中，貓和狗是神聖動物，被敬若神明，絕不能侵犯，屠宰和傷害這兩種動物的人必會遭到惡運和惡報。那時繁殖貓和狗，目的是飼養，不是食用。被飼養的貓和狗過着如帝王般的生活，牠們受到主人寵愛和服侍。牠們被崇拜，牠們的形象出現在不同產品上，隨處可見，為貓狗造像也是常見的事（最近考古隊才在公雞鎮發掘出屬於中塑膠時代的貓形石雕）。

這件陶器高三十公分，已經褪色，無法知道原來的顏色。蹲坐着的貓胖乎乎，尾巴貼着肥臀，脖子上掛着一個鈴鐺。牠舉起左手（左腳），好像與人打招呼，牠的右手（右腳）抱着一枚錢幣，上面隱約看到刻了「千万両」幾個字，不知是甚麼意思。貓首造得渾圓，嘴角微翹，似笑非笑，一雙大眼直視觀者，好像看穿人的心事，神秘而詭異。它的表面光溜溜，整隻貓的造功很精細，形神俱備，製作技術登峰造極，絕對是一件高水準的藝術品。

＊＊＊＊＊

古代語言學家：對於古時的文字，我們仍然一知半解，要破譯這些密碼，恐怕還需要一段時間……

墓室的門上寫了一句詛咒，用來恫嚇覬覦墓內財寶的盜墓人，叫他們千萬不要打這墓室的主意。

門上殘留着一層薄薄的漆料，以漆料寫成的詛咒隨時都會剝落，幾經辛苦才辨認出字的形態。

門上塗了「欠債還錢」幾個字。幾個字的筆

法狂亂，彷彿是在盛怒下寫成。以這筆法書寫，目的相信是震懾入侵者，阻止他們的破壞行動。古代語言學家努力研究後，終於翻譯出詛咒的意思。「欠債還錢」意即「偷盜者死」，企圖盜取墓室裡的物品的人必死無疑。

某天，詛咒真的應驗了。那名盜墓賊出獄後，竟然被雷電擊斃，陳屍荒野！

之後，陸續發生了幾宗意外和怪事。一個帳棚突然坍塌，砸爛了考古隊的一些裝備。一名考古員從梯子墮下，受了重傷。幾名民工輪流嘔吐和腹瀉，虛弱得幾天不能起床。另一名考古員終日疑神疑鬼，自言自語，又失控傻笑，其他人懷疑他中了邪……

墓室內彌漫着一股邪氣，酷暑下也颳來一陣陰風，好像死神正在附近徘徊，隨時取人性命。十多名考古員惴惴不安，不少人計劃退出考古隊。

為了穩定人心，領隊最後殺了幾頭動物，當作祭品獻給死者。做完儀式後，異常事件便沒再發生。

＊＊＊＊＊

金菊鎮一名居民：這場展覽讓我大開眼界，加深了我對於新塑膠時代的生活文化的認識，有些展品我從未見過，例如那對用數百年前已經絕種的象的牙製成的筷子，我肯定會再來參觀……

303號墓室的發掘和研究工作已經完成，考古隊暫時未找到其他墓室。鎮長與考古隊領隊商量後，決定向公眾展示這次重大發現。他們計劃在剛建成的古物館裡，向鎮上居民展示古物，303號墓室的遺址也會保留，供人參觀。

古物館的大廳裡，放了十多張長桌，用來展示陪葬品。每件陪葬品旁都立了一個牌子，上面寫了幾行文字，對這些文物作出簡介。

大廳一角，放了墓主的骸骨，兩副骸骨按照入殮時的姿態，平躺在床上。古人類學家根據二人頭骨形狀，利用黏土重塑二人的面貌。修復好的容顏，尊貴高傲，氣宇軒昂，眉宇間流露出一股貴氣（埋葬屍體的方式和以貴重陪葬品陪葬，這些證據都足以證明他們是當時的貴族）。

全場最珍貴的展品，那座貓形陶器，豎立在一個基座上。基座四周圍上圍欄，旁邊有保安員看守，防止遊人步近這件展品，觸碰或損毀這價值連城的珍寶。

這場展覽辦得非常成功，看完展覽的人都讚不絕口。除了金菊鎮的居民，到訪的遊客絡繹不絕，金菊鎮從此聲名大噪。

* * * * *

國家文物局局長：雖然不是考古隊發現古墓，但若果不是由考古隊進行發掘，古墓早已被盜賊破壞得體無完膚，文物亦會全被偷走……

考古隊的努力獲得國家文物局認同，考古隊領隊亦獲得表揚，被頒予獎狀和獎金。在他帶領下，考古團隊成功揭開了古時墓葬的神秘面紗，重現了大瘟疫時人類歷史的一幕。

原本默默無聞的考古隊領隊，現在終於在考古界闖出名堂。他進行考古工作幾十年，穿着一雙草鞋，走遍大江南北，每天日曬雨淋，在泥土下尋找古人的生活足跡。雖然賺的錢不多，又要吃苦，但他一直沒有放棄這職業。

這天他衣冠楚楚，步上講台領獎並發表演說。他説小時候原本想當教師，但後來讀了一本名叫《探尋失落的文明》的書，自此便迷上考古學，更立志成為一名考古學家。雖然父母反對，但他仍然選擇修讀這門冷門的學科，畢業後便踏上了考古路。付出了數十載的辛勞，今天他終於熬出頭來。他勉勵年輕人不要放棄夢想，定下目標後便要勇往直前，只要堅持，終有一天會成功。

＊＊＊＊＊

不願意透露姓名的古董收藏家：我從不同的人手上購買到這些藏品，我從不過問它們的來歷，也不

木創文學 73

人形圖書

作　　者：勞國安
責任編輯：黎漢傑
校　　對：阮曉瀅
法律顧問：陳煦堂 律師

出　　版：初文出版社有限公司
電郵：manuscriptpublish@gmail.com

印　　刷：陽光印刷製本廠

發　　行：香港聯合書刊物流有限公司
香港新界荃灣德士古道 220-248 號
荃灣工業中心 16 樓
電話 (852) 2150-2100 傳真 (852) 2407-3062

臺灣總經銷：貿騰發賣股份有限公司
電話：886-2-82275988 傳真：886-2-82275989
網址：www.namode.com

版　　次：2023 年 2 月初版
國際書號：978-988-76545-3-7
定　　價：港幣 78 元　新臺幣 280 元

Published and printed in Hong Kong

資助

香港藝術發展局全力支持藝術表達自由，本計劃內容不反映本局意見。

調查賣家的身份，不排除當中有人是盜墓賊……

那名盜墓賊被雷擊中身亡後，警方想聯絡他的家人，告知他們他的死訊。到達他的住處才知道他獨居，警員入內查看時無意中發現一個地下密室，地下密室裡竟然藏有大量奇珍異寶！

經專家鑒定，這批古物價值不菲，全是考古學家和收藏家夢寐以求的寶物（其中一套茶具，極可能生產於舊塑膠時代）。盜墓賊雖然屈居破屋，衣着寒傖，原來非常富有。

地下室裡除了藏有古物，還擺放了羅盤、地圖、風水學的書籍和各種挖掘工具，有些鑽探工具前所未見，相信是死者自製的。

由於他行事低調，獨來獨往，所以鄰居都不知他以盜掘墳墓，出售陪葬品維生。現在地下室的一切，將全被充公，由國家文物局接收。因為找不到他的親人，所以盜墓賊的屍體已被埋在金菊鎮的公墓，他的棺木內不會有任何陪葬品，與他長眠地下的只有一束金黃色的菊花。